中华人民共和国国家标准

尾矿库在线安全监测系统工程
技术规范

Technical code for online safety monitoring
system of tailings pond

GB 51108 - 2015

主编部门：中国有色金属工业协会
批准部门：中华人民共和国住房和城乡建设部
施行日期：2016年2月1日

中国计划出版社

2015 北京

中华人民共和国国家标准
尾矿库在线安全监测系统工程
技 术 规 范
GB 51108-2015
☆
中国计划出版社出版发行
网址：www. jhpress. com
地址：北京市西城区木樨地北里甲 11 号国宏大厦 C 座 3 层
邮政编码：100038 电话：(010) 63906433（发行部）
三河富华印刷包装有限公司印刷

850mm×1168mm 1/32 3.5 印张 85 千字
2016 年 1 月第 1 版 2023 年 3 月第 2 次印刷
☆
统一书号：1580242 • 806
定价：21.00 元

中华人民共和国住房和城乡建设部公告

第811号

住房城乡建设部关于发布国家标准《尾矿库在线安全监测系统工程技术规范》的公告

现批准《尾矿库在线安全监测系统工程技术规范》为国家标准，编号为GB 51108—2015，自2016年2月1日起实施。其中，第3.1.6条为强制性条文，必须严格执行。

本规范由我部标准定额研究所组织中国计划出版社出版发行。

中华人民共和国住房和城乡建设部

2015年5月11日

前 言

本规范是根据住房和城乡建设部《关于印发2013年工程建设标准规范制订修订计划的通知》(建标〔2013〕6号)的要求,由中国有色金属工业工程建设标准规范管理处和中国有色金属长沙勘察设计研究院有限公司会同有关单位共同编制完成的。

本规范在编制过程中,编制组调查总结了近年来我国尾矿库在线安全监测实践经验,吸收了国内外相关科技成果,开展了专题研究并形成了专题研究报告,并在广泛征求意见的基础上,通过反复讨论、修改和完善后,最后经审查定稿。

本规范共分10章和5个附录,主要技术内容包括:总则、术语和符号、基本规定、监测系统、现场巡查与人工安全监测、在线安全监测、在线安全监测系统集成、数据分析与预警、项目验收和运行维护与资料建档等。

本规范中以黑体字标志的条文为强制性条文,必须严格执行。

本规范由住房和城乡建设部负责管理和对强制性条文的解释,由中国有色金属工业工程建设标准规范管理处负责日常管理,由中国有色金属长沙勘察设计研究院有限公司负责具体内容的解释。本规范在执行过程中如有意见和建议,请寄送中国有色金属长沙勘察设计研究院有限公司(地址:湖南省长沙市芙蓉区韶山北路81号,邮政编码:410011),以供今后修订时参考。

本规范主编单位、参编单位、主要起草人和主要审查人:

主 编 单 位:中国有色金属工业工程建设标准规范管理处
中国有色金属长沙勘察设计研究院有限公司

参 编 单 位:中国恩菲工程技术有限公司
中国有色金属工业西安勘察设计研究院

中钢集团马鞍山矿山研究院有限公司
辽宁有色勘察研究院
中国有色金属工业昆明勘察设计研究院
长沙有色冶金设计研究院有限公司
中冶集团武汉勘察研究院有限公司
广州中海达卫星导航技术股份有限公司
十四冶建设集团云南矿业工程有限公司
武汉大学
云南铜业集团有限公司

主要起草人: 杜年春　曹凌云　张栋材　于　浩　邓　非
史华林　向海波　岑　建　陈孟利　陈殿强
李连鑫　李　雄　周玉新　罗树江　金　琰
郝　喆　郭天勇　徐牧明　常君锋　彭元生
谢冬晖　董忠级

主要审查人: 田文旗　颜学军　邹峥嵘　王立忠　滕志国
李明阳　刘文连　刘　宁　李朝奎　曹泉根
杨国荣

目　　次

Contents

1 总　　则

1.0.1 为统一尾矿库在线安全监测系统工程技术要求，保证监测质量，做到安全适用、技术先进、经济合理、保护环境、运行可靠，实现尾矿库安全预警，保障尾矿库运行安全，制定本规范。

1.0.2 本规范适用于金属和非金属矿山尾矿库及赤泥库、锰渣库在线安全监测。

1.0.3 尾矿库在线安全监测除应符合本规范外，尚应符合国家现行有关标准的规定。

2 术语和符号

2.1 术 语

2.1.1 尾矿库在线安全监测系统 online safety monitoring system of tailings pond

在尾矿库库区以及尾矿坝、排洪设施等构筑物上布置电子监测仪器、传感器及供电、通信等设施，通过工程测量、网络通信及计算机技术实现对尾矿库安全进行全天候自动监测、监控、分析和预警的系统。

2.1.2 在线安全监测 online safety monitoring

采用网络通信、智能控制及计算机技术，通过监测仪器设备对尾矿库安全状况进行连续自动监测。

2.1.3 人工安全监测 manual safety monitoring

采用人工方式，通过监测仪器设备对尾矿库安全状况进行定期监测。

2.1.4 现场巡查 on-site inspection and examination

尾矿库管理人员对尾矿库设施、设备和周边环境进行的现场巡回检查。

2.1.5 监控中心 monitoring center

安装计算机、在线安全监测软件和通信、供电、数据存储、显示屏等相关外部设备的中央控制场所。

2.1.6 数据采集箱 data acquisition unit

按某种数据采集方式进行数据采集的装置。

2.1.7 纵剖面 longitudinal profile

平行于坝体轴线的剖面。

2.1.8 横剖面 transverse profile

垂直于坝体轴线的剖面。

2.1.9 监测垂线　vertical line

沿铅垂线方向的监测线。

2.1.10 监测点　monitoring point

布设在监测对象上并能反映其变化特征或实时状况的观测点。

2.1.11 基准点　reference point

为进行变形监测而布设的稳定的、需长期保存的测量控制点。

2.1.12 工作基点　working reference point

为直接观测变形监测点而在现场布设的稳定的测量控制点。

2.1.13 监测站　monitoring station

安装数据采集仪器设备或集线箱的场所。

2.1.14 监测频率　frequency of monitoring

单位时间内的监测次数。

2.1.15 预警阈值　early-warning threshold

为保证尾矿坝及周边环境安全，对监测对象可能出现异常、危险所设定的预警值。

2.1.16 表面位移　surface displacement

监测对象表面产生的水平方向和铅垂方向变形。

2.1.17 内部位移　internal displacement

监测对象内部产生的水平方向和铅垂方向变形。

2.1.18 数据分析　data analysis

利用一系列规则和方法，对各种监测数据、资料及其他信息所进行的分类、计算、比较、综合及判断的过程。

2.1.19 信息反馈　information feedback

将尾矿库在线安全监测系统中的输出数据、信息以某种或几种方式返回到相关管理人员和监测系统的过程。

2.2 符　　号

b——量水堰堰切口底宽；

D——全站仪测距长度或两个 GNSS 观测点之间的距离；

H——尾矿坝坝高或量水堰过堰水位；

n——水准测量测站数；

Q——渗流量；

V——尾矿库全库容。

2.3 缩 略 语

GNSS	Global Navigation Satellite System	全球导航卫星系统
PDOP	Position Dilution Of Precision	空间位置精度因子
RTK	Real Time Kinematic	实时动态测量

3 基本规定

3.1 安全监测要求

3.1.1 尾矿库在线安全监测系统应有效运行。

3.1.2 尾矿库在线安全监测应按人工安全监测的方法和频率进行比测。

3.1.3 尾矿库在线安全监测系统应将在线安全监测成果、现场巡查与人工安全监测成果进行综合分析管理和信息发布。

3.1.4 尾矿库应根据设计等别、尾矿坝筑坝方式、尾矿排放方式、尾矿及尾矿水污染物性质、地形地质条件及地理环境等因素，选择监测项目和监测等级。

3.1.5 尾矿库在线安全监测、人工安全监测应采用工程坐标系，应以坝体轴线为 X 轴，面向坝外坡的左岸应为 X 轴正方向；应以垂直于坝体轴线为 Y 轴，坝外坡方向应为 Y 轴正方向；应以铅垂向下方向为 Z 轴正方向。

3.1.6 尾矿库安全监测预警信息必须立即送达尾矿库企业生产安全管理部门。当尾矿库安全监测项目处于橙色预警时，必须进行隐患检查治理；当尾矿库安全监测项目处于红色预警时，必须采取应急抢险措施。

3.2 尾矿库分类

3.2.1 尾矿库使用期设计等别应根据该期的全库容和坝高按表3.2.1确定，并应符合下列规定：

1 当按尾矿库的全库容和坝高分别确定的尾矿库等别的等差为一等时，应以高者为准。

2 当等差大于一等时，应按高者降一等确定。露天废弃采坑及凹地储存尾矿，且周边未建尾矿坝时，可不定等别。

3 建尾矿坝时，应根据坝高及库容确定尾矿库等别。除一等库外，对于尾矿库失事将使下游重要城镇、工矿企业、铁路干线或高速公路等遭受严重灾害者，经论证后，设计等别可提高一等。

表 3.2.1 尾矿库各使用期的设计等别

尾矿库等别	全库容 V（$10000m^3$）	坝高 H（m）
一等	$V \geqslant 50000$	$H \geqslant 200$
二等	$10000 \leqslant V < 50000$	$100 \leqslant H < 200$
三等	$1000 \leqslant V < 10000$	$60 \leqslant H < 100$
四等	$100 \leqslant V < 1000$	$30 \leqslant H < 60$
五等	$V < 100$	$H < 30$

3.2.2 尾矿库构筑物的级别应根据尾矿库的等别及其重要性按表 3.2.2 确定。

表 3.2.2 尾矿库构筑物的级别

尾矿库等别	构筑物的级别		
	主要构筑物	次要构筑物	临时构筑物
一等	1 级	3 级	4 级
二等	2 级	3 级	4 级
三等	3 级	5 级	5 级
四等	4 级	5 级	5 级
五等	5 级	5 级	5 级

注：1 主要构筑物系指尾矿坝、排洪构筑物等失事后将造成下游灾害的构筑物；
2 次要构筑物系指除主要构筑物外的永久性构筑物；
3 临时构筑物系指施工期临时使用的构筑物。

3.2.3 尾矿库可根据尾矿库堆存尾矿的流动性、自然分级性等，分为下列类别：

1 堆存自然流动性好、可利用管道输送、排放后能自然分级的湿排尾矿库；

2 堆存不能自然流动、不能用管道输送、含水量低、能满足干式运输、堆积及碾压的干式堆存尾矿库。

3.2.4 尾矿库可根据尾矿坝的堆筑方式，分为下列类别：

1 在初期坝上游方向堆积尾矿或天然材料筑子坝，堆积坝坝顶轴线逐级向初期坝上游方向推移的上游式筑坝尾矿库；

2 在初期坝轴线处用旋流器分离粗尾砂或天然材料筑坝，堆积坝坝顶轴线始终不变的中线式筑坝尾矿库；

3 在初期坝下游方向用旋流器分离粗尾砂或天然材料筑坝，堆积坝坝顶轴线逐级向初期坝下游方向推移的下游式筑坝尾矿库；

4 全部用除尾矿以外的筑坝材料一次或分期建造尾矿坝的一次建坝尾矿库。

3.3 安全监测等级

3.3.1 尾矿库安全监测应包含尾矿库及其库区地质滑坡体安全监测。

3.3.2 尾矿库安全监测等级应根据尾矿库设计等别和地质滑坡体规模按表 3.3.2 确定。

表 3.3.2 尾矿库安全监测等级

监测等级	监测对象	
	尾 矿 库	库区地质滑坡体
Ⅰ级	一等尾矿库、二等尾矿库	—
Ⅱ级	三等尾矿库、四等尾矿库、五等尾矿库	大中型滑坡
Ⅲ级	—	小型滑坡

注：1 一次建坝尾矿库的混凝土坝、浆砌石坝表面位移监测等级为Ⅰ级；
2 大中型滑坡指大于 $10\times10^4\,m^3$ 的滑坡，小型滑坡指不大于 $10\times10^4\,m^3$ 的滑坡。

3.4 安全监测项目

3.4.1 尾矿库安全监测项目应包括巡视检查、坝体位移监测、堆积坝外坡比监测、渗流监测、库水位监测、干滩监测、降水量监测、排洪设施监测、视频监控、库区地质滑坡体位移监测等。

3.4.2 尾矿库安全监测项目应根据设计等别、尾矿坝筑坝方式按表3.4.2-1、表3.4.2-2确定。

表3.4.2-1 湿排尾矿库安全监测项目

监测对象	监测项目	筑坝工艺、尾矿库等别及主要构筑物级别			
		尾矿堆积坝		初期坝、一次筑坝的土石坝	
		一等～三等	四等、五等	一等～三等	四等、五等
		1级～3级	4级、5级	1级～3级	4级、5级
尾矿坝	巡视检查	应测	应测	应测	应测
	表面位移	应测	应测	应测	应测
	内部位移	应测	可测	应测	宜测
	外坡比	应测	宜测	—	—
	浸润线	应测	应测	应测	应测
	渗流压力	可测	—	宜测	可测
	渗流量	宜测	可测	宜测	可测
	渗流水浑浊度	宜测	可测	宜测	可测
	干滩长度及坡度	应测	应测	宜测	可测
	视频	应测	应测	宜测	可测
库区	巡视检查	应测	应测	应测	应测
	库水位	应测	应测	应测	应测
	降水量	应测	宜测	应测	宜测
	视频	应测	应测	宜测	可测
	库区地质滑坡体表面位移	应测	应测	应测	应测
	库区地质滑坡体内部位移	宜测	宜测	宜测	宜测

续表 3.4.2-1

监测对象	监测项目	筑坝工艺、尾矿库等别及主要构筑物级别			
		尾矿堆积坝		初期坝、一次筑坝的土石坝	
		一等～三等	四等、五等	一等～三等	四等、五等
		1 级～3 级	4 级、5 级	1 级～3 级	4 级、5 级
排洪设施	巡视检查	应测	应测	应测	应测
	视频	宜测	可测	宜测	可测
	管、涵排水量	宜测	可测	宜测	可测
	表面位移	宜测	宜测	宜测	宜测

注：尾矿坝下游坡为废石堆场的，其内部位移、浸润线监测项目为“可测”。

表 3.4.2-2 干式堆存尾矿库安全监测项目

监测对象	监测项目	筑坝工艺、尾矿库等别及主要构筑物级别			
		尾矿堆积坝		初期坝、一次筑坝的土石坝	
		一等～三等	四等、五等	一等～三等	四等、五等
		1 级～3 级	4 级、5 级	1 级～3 级	4 级、5 级
尾矿坝、尾矿堆体外坡	巡视检查	应测	应测	应测	应测
	表面位移	应测	应测	应测	应测
	内部位移	宜测	可测	宜测	可测
	外坡比	应测	宜测	—	—
	浸润线	宜测	可测	宜测	可测
	视频	宜测	可测	宜测	可测
尾矿堆场	巡视检查	应测	应测	应测	应测
	降水量	应测	宜测	应测	宜测
	视频	宜测	可测	宜测	可测
排洪设施	巡视检查	应测	应测	应测	应测
	视频	宜测	可测	宜测	可测
	管、涵排水量	宜测	可测	宜测	可测
	表面位移	宜测	宜测	宜测	宜测

3.4.3 尾矿库的混凝土坝、浆砌石坝及挡水坝安全监测项目应符合现行行业标准《混凝土坝安全监测技术规范》DL/T 5178 和《土石坝安全监测技术规范》SL 551 的有关规定。

4 监 测 系 统

4.1 一 般 规 定

4.1.1 尾矿库在线安全监测系统应本着“先进、适用、可靠、经济”的原则整体设计，可分步实施。

4.1.2 尾矿库在线安全监测系统应方便维护、易于扩展、改造和升级，并应具备联网功能及在各种气候条件下的适时监测功能。

4.1.3 尾矿库人工安全监测技术设计应包括下列内容：

1 尾矿库情况概述；

2 监测主要技术指标；

3 监测断面、监测点布设；

4 监测设备安装；

5 监测数据采集；

6 监测数据分析与处理；

7 监测成果提交。

4.1.4 尾矿库在线安全监测系统技术设计应包括下列内容：

1 尾矿库情况概述；

2 监测系统主要技术指标；

3 监测剖面、监测点布设；

4 监测设备性能与施工安装；

5 监测系统数据采集装置性能与安装；

6 监测系统通信设施、供电设施、防雷设施及其安装；

7 监测系统控制中心设置；

8 监测系统调试与比测；

9 监测数据分析处理方法与数据建库；

10 监测信息发布与安全预警；

11 监测系统的运行与管理。

4.1.5 尾矿库在线安全监测系统应符合下列规定：

1 应具备自动巡测、应答式测量、故障自诊断功能；

2 应具备掉电保护及自启动功能；

3 应具备远程通信功能；

4 应具备网络安全防护功能；

5 应具备防雷及抗干扰功能；

6 应具备与现场巡查、人工安全监测接口，可进行数据补测、比测；

7 应具备通用的操作环境，可视化、操作方便的用户界面；

8 可根据用户要求修改系统设置、设备参数及采集周期；

9 应具备在线安全监测、数据后台处理、数据库管理、数据备份、监测图形及报表制作、监测信息查询及发布功能；

10 应具备系统管理、数据存取、操作日志、故障日志、预报警记录等功能。

4.1.6 表面位移基准点、工作基点布设应符合下列规定：

1 应根据监测等级、仪器技术指标和位移监测网图形结构估算各监测点相对于邻近工作基点或基准点的点位测量中误差和高程测量中误差，应确定基准点或工作基点至监测点的最大距离。

2 基准点应布设在变形影响区域外稳固可靠的位置，基准点数量不宜少于3个。

3 工作基点应选在稳定且方便使用的位置。水平位移监测工作基点宜采用带有强制归心装置的观测墩。

4.1.7 尾矿库人工安全监测应符合下列规定：

1 应采用相同的观测图形、观测路线和观测方法；

2 应使用相同的监测仪器和设备；

3 宜固定监测人员；

4 应采用统一基准处理数据。

4.2 设计基础资料

4.2.1 尾矿库在线安全监测、人工安全监测技术设计前,应查明下列周边环境条件:

1 历史气象、水文资料;

2 现场交通、供电、无线与有线通信条件;

3 尾矿库下游厂矿、居民区分布及当地民风情况等。

4.2.2 尾矿库在线安全监测、人工安全监测设计基础资料应包括下列内容:

1 尾矿库库区及尾矿坝 1∶500～1∶2000 现状地形图;

2 尾矿库初步设计、施工图设计资料;

3 尾矿库安全评价和环境影响评价资料;

4 尾矿库运行情况,包括现有尾矿坝高度、子坝级数、筑坝材料、安全等级和安全隐患等;

5 新建、在用、扩容、闭库尾矿库等岩土工程勘察报告。

4.3 监测剖面与监测点布置

4.3.1 坝体表面位移监测剖面与监测点布置应符合下列规定:

1 监测横剖面宜选在最大坝高、有排水管通过、地质条件变化较大的地段及尾矿库运行有异常反应处。

2 初期坝顶和后期坝顶宜各布设 1 条监测纵剖面,且每 30m～60m 高差宜布设 1 条监测纵剖面,监测纵剖面不宜少于 3 条。

3 监测纵剖面的测点间距,坝长小于 300m 时,宜取 20m～100m;坝长为 300m～1000m 时,宜取 50m～200m;坝长大于 1000m 时,宜取 100m～300m。

4.3.2 坝体内部位移监测剖面与监测点布置应符合下列规定:

1 监测横剖面宜选在最大坝高、地质条件变化较大的地段及尾矿库运行有异常反应处。

2　每个尾矿坝可设1条～3条监测横剖面，每个监测横剖面上可布设1条～3条监测垂线，其中1条宜布设在最大坝高处。

3　每条监测垂线上宜布置3个～15个监测点，监测点的间距宜为1m～10m，最下一个监测点宜设置于坝基表面，最上一个监测点宜与坝体表面位移监测点重合。

4.3.3　堆积坝坡比监测剖面与监测点布置应符合下列规定：

1　监测横剖面宜布设在尾矿坝最大坝高处及堆积坝外坡最大坡度地段。

2　每100m坝长不应少于2条监测横剖面。

3　监测点应布置在各变坡点处，且监测点间距不应大于10m。

4.3.4　坝体浸润线监测剖面与监测点布置应符合下列规定：

1　浸润线监测横剖面宜选在能反映整体渗流情况的坝体剖面上及渗流异常剖面上，宜与表面位移监测横剖面相结合，横剖面不宜少于3个。

2　监测孔布置应根据坝型结构、筑坝材料和渗流场特征确定。宜在堆积坝坝顶、初期坝上游坡底、下游排水棱体前缘各布置1个监测孔，监测孔间距宜为20m～40m，每个横剖面的监测孔不宜少于3个，监测孔深度应根据设计控制浸润线深度确定。

3　在渗流进、出口段，渗流各向异性的土层中，以及浸润线变化处，应根据预计浸润线的最大变幅沿不同高程布设监测点，同一监测孔内的测点不宜少于2个。

4.3.5　渗流压力监测剖面与监测点布置应符合下列规定：

1　尾矿坝的渗流压力监测，宜沿流线方向或渗流较集中的透水层布置1条～3条监测横剖面，每个横剖面上宜设3条～4条监测垂线。

2　尾矿坝与刚性建筑物接合部的渗流压力监测，应在接触轮廓线的控制处设置监测孔。

3　分层监测时，应做好层间止水。

4.3.6 渗流量及渗流水浑浊度监测设施布置应符合下列规定：

1 监测设施布置应根据坝型和坝基地质条件、渗漏水的出流和汇集条件等确定，对排渗异常的部位应专门监测。

2 坝体渗流、绕渗及导渗的渗流量应分区、分段监测。

3 当坝体下游有渗漏水出逸时，应在坝趾下游设导渗沟，应在导渗沟出口处设置监测设施。

4 当渗流水位低于自然地表时，应在坝下游河床中布设渗流量监测设施。监测横剖面应根据控制过水断面情况沿水流方向布置，不宜少于3条。每条横剖面应布置2个测压孔，间距宜为10m～20m，并应在测压孔内安装测压管。

4.3.7 库水位监测点应设置在能代表库内平稳水位的位置，宜布置在库内排洪构筑物上。

4.3.8 干滩监测横剖面与监测点布置应符合下列规定：

1 滩顶高程监测点应沿滩顶方向布置，每100m坝长应在较低处布置1个～3个监测点。监测点总数不应少于3个。

2 干滩长度应根据坝长及水边线弯曲情况，在干滩长度较短处布置1条～3条监测横剖面。

3 干滩坡度应根据干滩平整情况，每100m坝长布置不少于2个监测横剖面。监测点间距宜为10m～20m，坡度变化处应布置监测点。

4.3.9 降水量监测，应根据尾矿库周边地形条件，在空旷处布置1个监测点。

4.3.10 排洪设施监测宜采用人工现场巡查与视频监控相结合。当发现排洪设施有变形时，应根据实际情况，在排洪设施变形部位或其影响部位布设位移监测点。

4.3.11 视频监测点宜布置在尾矿库重点区域、初期坝、堆积坝、尾矿排放口及排洪系统进、出口处。

4.3.12 对于危及库区、排洪构筑物及附属设施安全和运行的新老滑坡体或潜在滑坡体应监测，地质滑坡体监测剖面与监测点布置应符合下列规定：

1 滑坡体表面位移监测应沿顺滑方向布设1条～3条监测剖面，每个剖面不宜少于3个监测点。

2 滑坡体内部位移监测剖面应布置在主滑线上，宜布置1条～3条监测垂线，每条监测垂线上不宜少于3个监测点。

4.4 监测仪器设备

4.4.1 在线安全监测、人工安全监测应根据尾砂腐蚀性、高温及多尘、气候变化等现场环境条件选用仪器设备。

4.4.2 监测仪器技术指标应符合表4.4.2的规定。

表4.4.2 监测仪器技术指标

监测项目	仪器名称	仪器技术指标	
		监测等级Ⅰ级	监测等级Ⅱ级、Ⅲ级
坝体表面位移、地质滑坡体表面位移	经纬仪	测角 1″	测角 2″
	全站仪	测角 1″ 测距 $1\mathrm{mm}+1\times10^{-6}\times D$	测角 2″ 测距 $3\mathrm{mm}+2\times10^{-6}\times D$
	激光准直仪	测距 $1\mathrm{mm}+1\times10^{-6}\times D$	测距 $3\mathrm{mm}+2\times10^{-6}\times D$
	GNSS接收机	水平 $3\mathrm{mm}+1\times10^{-6}\times D$ 竖向 $5\mathrm{mm}+1\times10^{-6}\times D$	水平 $3\mathrm{mm}+1\times10^{-6}\times D$ 竖向 $5\mathrm{mm}+1\times10^{-6}\times D$
	静力水准仪	0.5mm	0.5mm
	水准仪	1mm/km	3mm/km
坝体内部位移	测斜仪	0.25mm/m，分辨率0.02mm/500mm	
	沉降仪	0.5%F.S，分辨率0.2%F.S	
堆积坝坡比	全站仪	测角 6″ 测距 $5\mathrm{mm}+5\times10^{-6}\times D$	
	GNSS接收机	水平 $5\mathrm{mm}+5\times10^{-6}\times D$ 竖向 $10\mathrm{mm}+5\times10^{-6}\times D$	

续表 4.4.2

监测项目	仪器名称	仪器技术指标	
		监测等级Ⅰ级	监测等级Ⅱ级、Ⅲ级
坝体渗流	渗压计	0.5%F.S,分辨率 0.2%F.S	
	水位计	10mm	
	孔隙水压力计	0.5%F.S,分辨率 0.2%F.S	
	量水堰水尺或测针	水尺分辨率 1mm 测针分辨率 0.1mm	
	流量计	0.5%F.S,分辨率 0.2%F.S	
	浊度仪	0.5NTU	
干滩	水准仪	3mm/km	
	全站仪	测角 6″ 测距 $5mm+5\times10^{-6}\times D$	
	激光测距仪、超声波测距仪	测距 $5mm+5\times10^{-6}\times D$	
	数码相机	像素 1000 万	
库水位	液位计	10mm	
	渗压计	0.5%F.S,分辨率 0.2%F.S	
降水量	雨量计	0.2mm	
视频	摄像机	像素 100 万	

4.4.3 监测仪器的检测、检定应符合下列规定：

1 监测仪器应经过检测、检定,并应在合格后再使用；

2 强检类监测仪器应按规定的检定周期进行检定或校准；

3 非强检类监测仪器应提供合格证书、出厂率定资料,并应按仪器使用说明书的要求进行自检。

4.4.4 监测仪器管理应符合下列规定：

1 监测仪器应建立档案,应包括仪器名称、生产厂家、出厂号码、规格、型号、附件名称及数量、合格证书、使用说明书、出厂率定资料、购置日期、单位使用编号、使用日期、使用人员、强检类仪器的检定日期及检定证书、校准记录、发生故障、损伤及维修记录等。

2 仪器在运输中应平稳放置，使用时应按照仪器使用说明书操作。

3 除埋设在尾矿坝内部的传感器外，其他仪器均应设置在通风、干燥的地方，并应满足防尘、防潮要求。

4.4.5 监测设施管理应符合下列规定：

1 现场监测设施应标注监测类别及监测点编号。

2 基准点、工作基点、监测点、监测孔，应绘制点之记，并应按比例尺绘制监测设施总体布置图和竣工图。

3 影响监测质量的障碍物应清除。

4.5 监测频率

4.5.1 监测基准网的复测每年不应少于1次。发生山洪、地震等灾害时，应检测基准网。

4.5.2 运营期间的尾矿库应每天日常巡查，大雨或暴雨期间应在现场实时巡查；年度巡查宜在汛期前后或冰冻期前后进行，每年不应少于3次；当尾矿库安全状况处于红色预警时，应特别巡查。

4.5.3 人工安全监测频率应符合下列规定：

1 监测设施安装初期应每半个月监测1次，六个月后可逐步减为每月监测1次。

2 遇下列情况之一时，应增加监测：

1) 汛期前；

2) 地震、连续多日下雨、暴雨、台风后；

3) 尾矿库安全状况处于黄色预警、橙色预警、红色预警期间；

4) 坝体除险加固施工前后；

5) 其他影响尾矿库安全运行情形。

3 降水量监测频率应符合现行行业标准《降水量观测规范》SL 21的有关规定。

4.5.4 在线安全监测频率应符合下列规定：

1 当尾矿库处于正常状态时，在线安全监测频率宜为1次/10min～1次/24h。

2 当尾矿库安全状况处于非正常状态时，在线安全监测频率宜为1次/5min～1次/30min。

4.6 技术要求

4.6.1 地表位移监测精度指标应按表4.6.1-1确定，其他监测项目监测精度指标应按表4.6.1-2确定。

表4.6.1-1 地表位移监测精度指标(mm)

监测等级	监测点相对于邻近工作基点或基准点的点位测量中误差和高程测量中误差
Ⅰ级	3.0
Ⅱ级	6.0
Ⅲ级	12.0

表4.6.1-2 其他监测项目的监测精度指标

监测项目		监测精度
坝体内部位移		0.25mm/m
堆积坝坡比		水平距离50mm 高差20mm
坝体渗流	浸润线	20mm
	渗流压力	0.5%F.S
	浑浊度	0.5NTU
	渗流量	5%
库水位		20mm
库区降水量		0.2mm
干滩	高程	20mm
	长度	1m

4.6.2 相同监测点在同一监测时间的在线安全监测成果与人工安全监测成果较差值，不应大于其测量中误差的2倍。

4.6.3 尾矿库在线安全监测系统性能应符合下列规定：

1 应兼容模拟信号和数字信号的监测仪器设备；

2 平均无故障时间不应小于180d；

3 数据采集缺失率不应大于2%；

4 瞬态电位差应小于1000V；

5 防雷电感应不应小于500W；

6 现场监测装置掉电运行时间不应小于72h；

7 单点采集时间应小于30s；

8 巡测时间不应大于30min；

9 工作环境应适用当地气候；

10 交流供电电源应为220V±20V、50Hz±1Hz或直流供电电源5V～24V；

11 监控中心接地电阻不应大于4Ω，库区监测装置接地电阻不应大于10Ω；

12 通信接口应符合国际通用标准。

5 现场巡查与人工安全监测

5.1 一般规定

5.1.1 尾矿库现场巡查可分为日常巡查、年度巡查和特别巡查。

5.1.2 监测设施安装完成后2周内应进行首次监测，首次监测不应少于2次，应取平均值作为监测初始值。

5.1.3 每次监测前应对基准点或工作基点进行检测。

5.2 现场巡查

5.2.1 现场巡查方法应符合下列规定：

1 日常巡查应规定巡查的路线、次序、部位、内容和方法，应以观察描述为主，可定性评价。

2 年度巡查应对尾矿库库区、尾矿坝、排洪设施、安全监测设施及周边环境等进行安全检查，可定性评价。

3 特别巡查应对尾矿库可能出现险情的部位、尾矿坝稳定性、排洪设施可靠性、安全监测设施可靠性等进行专项安全检查，应通过勘察、监测等手段进行综合评价。

5.2.2 尾矿库现场巡查项目应包括尾矿坝检查、排洪设施检查、安全监测设施检查、库区检查和周边环境检查。

5.2.3 尾矿坝检查应包括下列内容：

1 坝顶是否均匀平整，有无裂缝、塌陷、异常变形、积水和植物滋生等现象。

2 坝外坡有无裂缝、剥落、滑坡、隆起、塌坑、渗流出逸及冲沟等现象，护坡植被是否完好，护坡砌石有无翻起、松动、塌陷、架空等损坏现象，矿浆排放有无冲刷初期坝和子坝现象。

3 坝基渗漏水水量、颜色、气味及浑浊度有无变化。

4 坝体与岸坡连接处有无错动、开裂及渗水等情况，两岸坝端区有无裂缝、滑坡、崩塌、溶蚀、隆起、塌坑、异常渗水和蚁穴兽洞等。

5 排渗降压设施有无异常或破坏现象，排水反滤设施是否堵塞和排水不畅，渗水有无突变和浑浊现象。

6 坝面排水设施有无裂缝或损坏，排水沟内有无垃圾、泥沙淤积和长草等现象。

5.2.4 排洪设施检查应包括下列内容：

1 排水井井壁有无裂缝、剥蚀、脱落、渗漏，井身是否倾斜和变位，井管联结部位、进水口水面有无漂浮物，停用井封盖状况等。

2 排水斜槽槽身有无变形、损坏或坍塌，盖板有无裂缝和断裂，盖板之间以及盖板与槽壁之间的防漏充填情况，斜槽内有无淤堵等。

3 排水涵管有无变形、裂缝、破损、断裂和磨蚀，管间止水及充填物是否正常，涵管内淤堵、排水口浑浊情况、水量变化情况等。

4 排洪隧洞有无洞内塌方，衬砌变形、裂缝、破损、断裂、剥落和磨蚀，伸缩缝、止水及充填物是否正常，洞内淤堵、排水口浑浊情况、水量变化情况等。

5 排洪隧洞、排水斜槽、涵管排水孔的工作状态是否正常，是否有漏沙情况等。

6 溢洪道有无沿线山坡滑坡、塌方，护砌变形、破损、断裂和磨蚀，淤堵，消力池及消力坎运行情况等。

7 截洪沟有无沿线山坡滑坡、塌方，护砌变形、破损、断裂和磨蚀，沟内淤堵情况等。

5.2.5 安全监测设施检查应包括下列内容：

1 人工安全监测的表面位移、内部位移、堆积坝坡比、坝体渗流、干滩、库水位、降水量等设施的完好状态和运行情况。

2 在线安全监测的表面位移、内部位移、渗流、库水位、干滩、降水量、视频监测等设施的安装埋设状况及传感器运行情况，系统集成的通信、供电、防雷、视频装置运行工况是否正常。

5.2.6 库区检查应包括下列内容：

1 沉积滩面是否均匀平整，干滩面有无裂缝、塌陷、异常变形、积水等现象，干滩长度和坡度有无异常变化。

2 库区水位有无异常变化，水颜色、气味及浑浊度有无变化。

3 坝端岸坡有无裂缝、塌滑迹象，下游岸坡地下水露头及绕坝渗流是否正常。

4 库区岸坡有无冲刷、开裂、崩塌及滑坡迹象。

5 库区尾矿排放情况，放矿及筑坝的均匀性。

5.2.7 周边环境检查应包括下列内容：

1 周边山体有无冲刷、裂缝、滑坡、泥石流、崩塌迹象。

2 库区周边有无违章施工和采选作业。

3 其他涉及尾矿库安全的项目。

5.2.8 现场巡查应记录。发现异常情况，除应记录时间、部位、险情和绘出草图外，还应摄影或录像。现场巡查应符合本规范附录A的规定。

5.3 人工安全监测

Ⅰ 坝体表面水平位移监测

5.3.1 坝体表面水平位移监测宜采用视准线法、极坐标法、GNSS法等监测方法。

5.3.2 采用视准线法监测应符合下列规定：

1 基准点或工作基点应布置在视准线两端延长线上的变形影响区域之外稳固可靠的位置，宜采用极坐标法对基准点或工作基点的稳定性进行检核。

2 基准点和工作基点宜采用带有强制对中装置的混凝土监测墩，监测墩制作规格宜符合本规范第B.0.1条的规定。

3 视准线长度不宜大于500m。

4 视准线旁离障碍物距离宜大于1m,距离地面高度宜大于1.2m。

5 监测方法宜采用活动觇牌法或测小角法。

6 视准线长度大于250m时,宜在两端基准点或工作基点设站,并宜分别观测邻近的1/2监测点。

7 同一监测点每次应观测2测回,每测回应正镜、倒镜各观测2次,应取平均值为该测回监测值,应取2测回中值为监测成果。

8 监测限差应符合表5.3.2的规定。

表5.3.2 监测限差

观测方法	正镜、倒镜2次读数差	2测回观测值差
活动觇牌法	2.0mm	1.5mm
小角法	4.0″	3.0″

5.3.3 采用极坐标法监测应符合下列规定:

1 基准点、工作基点和监测点宜采用带有强制对中装置的混凝土监测墩,监测墩制作规格宜符合本规范第B.0.1条的规定。

2 每次监测时,同一监测点上应使用同一棱镜。

3 水平角观测时,宜采用全圆方向观测法;当观测方向多于6个时,宜分组观测。

4 监测技术要求应符合表5.3.3-1、表5.3.3-2的规定。

表5.3.3-1 极坐标法观测要求

监测等级	水平角观测测回数		垂直角观测测回数		距离观测测回数	
	1″级仪器	2″级仪器	1″级仪器	2″级仪器	2mm级仪器	5mm级仪器
Ⅰ级	9	—	9	—	6	—
Ⅱ级	6	9	6	9	4	6
Ⅲ级	4	6	4	6	4	6

表 5.3.3-2 极坐标法监测限差

观测项	仪器精度等级	测回间互差
方向	1″级仪器	6″
	2″级仪器	9″
距离	2mm 级仪器	4mm
	5mm 级仪器	7mm

5 距离测量时，应同步进行气温、气压观测，并应对距离观测值进行气温、气压、仪器加乘常数和倾斜改正，应将边长投影至尾矿库平均高程面上。

5.3.4 采用 GNSS 方法监测应符合下列规定：

1 基准点和监测点上部高度角 15°以上范围内应无遮挡物，应远离大功率无线电信号干扰源，且附近应无 GNSS 信号反射物。

2 基准点和监测点宜采用带有强制对中装置的混凝土监测墩，监测墩制作规格宜符合本规范第 B.0.1 条的规定。

3 每次监测时，同一基准点和监测点应安装使用同一台 GNSS 接收机和天线。

4 GNSS 接收机天线的水准器应居中，天线定向标志线应指向正北，天线相位中心高度应量取 2 次，两次较差不应大于 1mm。

5 监测前应做好星历预报，监测时间应为最佳监测时段。

6 GNSS 监测网宜采用精密星历进行数据处理。

7 GNSS 监测技术要求应符合表 5.3.4 的规定。

表 5.3.4 GNSS 监测技术要求

监测等级	观测方法	时段长度(min)	PDOP	卫星截止高度角(°)	同步监测卫星数	卫星分布象限数	采样间隔(s)
Ⅰ级	静态	30～90	≤5	≥15	≥5	≥3	10～30
Ⅱ级		20～60	≤6				
Ⅲ级		15～45					

Ⅱ 坝体表面竖向位移监测

5.3.5 坝体表面竖向位移监测可采用水准测量、三角高程测量及GNSS测量等方法。

5.3.6 采用水准测量方法监测竖向位移应符合下列规定：

1 水准基准点结构与埋设宜符合本规范第B.0.2条的规定，竖向位移监测点宜采用与水平位移监测点相同标石。

2 每次监测应采用起始于相同水准基准点的闭合水准路线。

3 水准监测要求应符合表5.3.6-1、表5.3.6-2的规定。

表5.3.6-1 水准测量的限差要求

监测等级	往返较差及环线闭合差(mm)	检测已测高差较差(mm)
Ⅰ级	$1.0\sqrt{n}$	$1.5\sqrt{n}$
Ⅱ级	$3.0\sqrt{n}$	$4.5\sqrt{n}$
Ⅲ级	$6.0\sqrt{n}$	$9.0\sqrt{n}$

表5.3.6-2 水准观测的技术要求

监测等级	视线长度(m)	前后视的距离较差(m)	前后视的距离较差累积(m)	视线离地面最低高度(m)	基、辅分划或黑、红面读数较差(mm)	基、辅分划或黑、红面所测高差较差(mm)
Ⅰ级	50	2.0	3.0	0.3	0.5	0.7
Ⅱ级	75	3.0	6.0	0.2	1.0	1.5
Ⅲ级	100	5.0	10.0	0.2	2.0	3.0

5.3.7 采用三角高程测量方法监测竖向位移应符合下列规定：

1 基准点、工作基点和监测点应与水平位移基准点、工作基点和监测点采用相同标石。

2 垂直角采用中丝法观测测回数应符合本规范表5.3.3-1的规定，测回间垂直角较差不应大于6″。

3 仪器高和觇牌高量测应精确至0.5mm。

4 采用单向观测时，应进行球气差改正。

5 用于高差计算的距离应采用水平位移监测中相应的水平

距离。

5.3.8 采用GNSS方法监测竖向位移应符合本规范第5.3.4条的规定。

Ⅲ 坝体内部位移监测

5.3.9 坝体内部水平位移监测宜采用滑轮式测斜仪，并应符合下列规定：

1 监测设施安装及埋设宜符合本规范第C.1节的规定。

2 测斜管底部稳固时，宜以测斜管底部为起算点；当测斜管底部不稳定时，应以测斜管顶部为起算点；每次监测时，应对测斜管顶部进行水平位移监测。

3 测斜仪应沿坝体横剖面方向的测斜管导槽下放至测斜孔底部，在测斜仪达到稳定工作状态后，每间隔0.5m～1.0m应测量1个数据。

4 第一次测量完成后，应将测斜仪反转180°进行第二次测量，两次测量的各测点位置应一致，并应依此作为1测回，每次监测应测量2测回，监测成果应取平均值。

5.3.10 坝体内部竖向位移监测宜采用单点沉降仪，并应符合下列规定：

1 监测设施安装及埋设宜符合本规范第C.2节的规定。

2 监测时，应进行2次读数，读数较差不应大于1mm，应取平均值为当次监测值。

Ⅳ 堆积坝坡比监测

5.3.11 堆积坝坡比监测宜采用断面法，监测点可采用临时性标志。

5.3.12 堆积坝坡比宜采用全站仪、GNSS-RTK测定相邻监测点的三维坐标或地面高差和水平距离，监测宜符合现行国家标准《工程测量规范》GB 50026的有关规定。

5.3.13 堆积坝坡平均坡度应按各监测横剖面的平均坡度加权平均计算。

V 坝体渗流监测

5.3.14 坝体浸润线监测宜采用水位计，并应符合下列规定：

1 监测设施安装及埋设宜符合本规范第D.1节的规定。

2 浸润线监测孔安装完成后，应采用水准仪或全站仪测定监测孔孔口高程。测量宜符合现行国家标准《工程测量规范》GB 50026的有关规定。

3 尾矿库运营期间，浸润线监测孔孔口高程宜每6个月检测1次。

4 浸润线深度宜采用水位计观测2次，其读数较差不应大于20mm，应取平均值作为当次浸润线监测值。

5.3.15 渗流压力监测应包括坝体、坝基、两岸坝端及部分山体、坝体与岸坡或混凝土建筑物接触面、两岸接合部等关键部位。

5.3.16 渗流压力监测宜采用孔隙水压力计，并应符合下列规定：

1 监测设施安装及埋设宜符合本规范第D.2节的规定。

2 当黏土的饱和度低于95%时，宜选用带有细孔陶瓷滤水石的高进气压力孔隙水压力计。

3 埋设前应将孔隙水压力计饱水24h，并应以提至水面测计零压状态下的稳定观测值作为基准值。

4 渗流压力监测时，应采用孔隙水压力计读数仪进行2次读数，2次读数较差不应大于2个读数单位，应取平均值作为当次渗流压力监测值。

5.3.17 渗流量监测可采用容积法、量水堰法和流速法。当渗水量小于1L/s时，宜采用容积法；当渗水量为1L/s～300L/s时，宜采用量水堰法；当渗水量大于300L/s或受落差限制不能设量水堰时，应将渗漏水引入排水沟中，并应采用流速法。

5.3.18 采用容积法监测渗流量应符合下列规定：

1 监测渗流量的集水设施应避免客水干扰，在集水设施处应设置水尺。

2 容积法充水时间不得小于10s。

3　渗流量应观测2次，2次读数较差不应大于渗流量的5%，应取平均值作为当次渗流量监测值。

5.3.19　采用量水堰法监测渗流量应符合下列规定：

1　量水堰应设在排水沟直线段的堰槽段。应采用矩形断面，两侧墙应平行和铅直；槽底和侧墙应砌护，不应漏水，并不应受客水干扰。

2　堰板应与堰槽两侧墙和来水头流向垂直，堰口水流形态应为自由式。

3　测量堰上水头的水尺或测针应布设于堰口上游3倍～5倍堰上水头处，其零点高程与堰口高程差不应大于1mm。水尺或测针等测读装置应保持铅直方向。

4　量水堰安装宜符合本规范第D.3节的规定。

5　每次渗流量监测时，应对监测水尺读数2次，2次读数较差不应大于2mm，应取平均值作为当次量水堰水位监测值。

5.3.20　流速法监测渗流量的测速沟槽应符合下列规定：

1　长度不应小于15m的直线段。

2　断面应一致，并应保持一定纵坡。

3　不应受客水干扰。

5.3.21　渗流水浑浊度监测应符合下列规定：

1　浑浊度测定宜在现场进行，可采用目视比色法或浊度仪法。

2　左坝肩、右坝肩、坡面横向排水沟、排渗管及初期坝应分别进行浑浊度监测。

3　当浑浊度达到正常运营值的1.5倍时，应加大监测频率。

4　浑浊度监测方法宜符合现行行业标准《地下水环境监测技术规范》HJ/T 164的有关规定。

Ⅵ　干滩监测

5.3.22　滩顶高程监测可采用三角高程测量、水准测量等方法，并应符合下列规定：

1 滩顶高程监测点可采用临时标志。

2 滩顶高程监测点的地面高程宜采用全站仪或水准仪测定，测量宜符合现行国家标准《工程测量规范》GB 50026 的有关规定。

5.3.23 干滩长度监测可采用标尺法、测距法等方法。测距法宜采用全站仪或测距仪监测，对于尾砂腐蚀性强或人员无法进入的干滩，宜采用免棱镜全站仪监测。

5.3.24 采用标尺法监测干滩长度时，应在滩面上设立干滩长度标尺，干滩较长时宜以 50m 为间隔，标尺设立误差不应大于 1m，干滩长度较短时宜以 10m 为间隔，标尺设立误差不应大于 0.1m。

5.3.25 采用全站仪监测干滩长度时，水平距离应观测 2 次，2 次观测较差不应大于 0.1m，应取平均值作为当次干滩长度监测值。

5.3.26 干滩坡度监测可采用三角高程测量、水准测量等方法，并应符合下列规定：

1 干滩坡度监测应选取正常沉积的干滩断面，并应通过加权平均计算干滩坡度。

2 三角高程法监测宜采用全站仪，对于尾砂腐蚀性强或人员无法进入的干滩，宜采用免棱镜全站仪监测。

3 距离和高程测量宜符合现行国家标准《工程测量规范》GB 50026的有关规定。

4 当干滩为等坡度时，可利用干滩长度、滩顶高程与水面高程的差值计算干滩坡度。

Ⅶ 库水位监测

5.3.27 库水位监测宜采用水尺法，并应符合下列规定：

1 库水位监测点水尺宜安装在库内排水井、排水斜槽等排洪构筑物上。

2 水尺顶部高程宜采用三角高程或水准测量法测定，测量宜符合现行国家标准《工程测量规范》GB 50026 的有关规定。

3 汛期前，应对水尺顶部高程进行检测。

4 库水位监测时，应对水尺上水面线对应的刻划进行 2 次读数，其读数较差不应大于10mm，应取平均值作为当次库水位监测值。

Ⅷ 降水量监测

5.3.28 降水量监测宜采用雨量器，并应符合下列规定：

1 雨量器安装及埋设宜符合本规范附录E的规定。安装高度选定后，不得随意变动。

2 仪器安装后，承水器口应水平。

3 雨量监测可采用定时分段观测，少雨季节可采用1段次或2段次，暴雨时应增加观测段次，降水停止时应观测降水量。

4 降水量观测应符合现行行业标准《降水量观测规范》SL 21的有关规定。

Ⅸ 排洪设施监测

5.3.29 排洪设施监测宜采用现场巡查法。

5.3.30 排洪设施现场巡查应符合本规范第5.2.4条的规定。

5.3.31 现场巡查发现排洪设施有异常情况时，应采用监测仪器设备监测。

Ⅹ 库区地质滑坡体监测

5.3.32 库区地质滑坡体表面水平位移监测应符合本规范第5.3.3条、第5.3.4条的规定。

5.3.33 库区地质滑坡体表面竖向位移监测应符合本规范第5.3.4条、第5.3.7条的规定。

5.3.34 库区地质滑坡体内部位移监测应符合本规范第5.3.9条的规定。

6 在线安全监测

6.1 一般规定

6.1.1 监测数据应实时传输至尾矿库在线安全监测系统服务器。

6.1.2 在线安全监测仪器设备及设施安装完成后2周内应进行首次监测，首次监测不应少于3次，并应在24h内完成，各次测量值互差不应大于测量中误差的2倍，并应取平均值作为监测初始值。

6.1.3 系统供电、通信电缆敷设应符合下列规定：

1 尾矿坝筑坝材料具有腐蚀性或尾矿坝外坡需后续施工时，坝体上的供电、通信电缆应采用架空方式敷设。

2 尾矿坝的筑坝材料无腐蚀性且尾矿坝外坡不需后续施工时，坝体上的供电、通信电缆可采用地埋方式敷设。地埋的供电、通信电缆应分别采用线管套护，电缆在敷设时应留有裕量，且不应相互交绕，在电缆经过的地面每隔20m～50m应埋设指示桩。

6.1.4 监测仪器设备的供电、通信电缆应与数据采集箱正确连接，并应由远程计算机控制进行自动监测。

6.2 坝体位移监测

Ⅰ 坝体表面水平位移监测

6.2.1 坝体表面水平位移在线安全监测可选用伺服型全站仪、GNSS接收机、激光准直仪等仪器设备。

6.2.2 采用伺服型全站仪进行坝体表面水平位移在线安全监测应符合下列规定：

1 基准点、监测点施工与设备安装应符合下列规定：

1)基准点、监测点与监测站房之间应具有良好的通视条件；

2)基准点和监测点的施工与安装应符合本规范第5.3.3条第1款的规定；

3)基准点和监测点监测墩应安装带保护设施的棱镜装置；

4)基准点和设置有监测点的基础坝、子坝上宜分别安装带有供电和通信控制装置的电子气温气压计。

2 监测站房施工与设备安装应符合下列规定：

1)监测站房应布置在地质条件好、基础稳固、无电磁干扰，且通视条件良好的位置；

2)监测站房应采用钢筋混凝土结构，站房尺寸长×宽×高不宜小于2m×2m×3m；

3)监测站房四面墙壁上部宜分别设置2个通风口，通风口尺寸不宜小于0.15m×0.3m；

4)监测站房应具有防雷电、防雨雪、防潮、防盗功能；

5)监测站房内应设置带有强制对中装置的混凝土监测墩，在监测墩上安装伺服型全站仪，监测墩的制作宜符合本规范第B.0.1条的规定；

6)监测站房内应安装电子气温气压计、控制系统、通信及供电等仪器设备。

3 自动监测宜采用全圆方向观测法，当观测方向多于6个时，宜采用分组观测。

4 在每半测回观测时，应同步观测水平角、垂直角、距离、气温、气压等。

5 自动监测应符合本规范表5.3.3-1、表5.3.3-2的规定。

6 垂直角观测值应进行球气差改正；距离观测值应进行气温、气压、仪器加乘常数和倾斜改正，并应投影至尾矿坝平均高程面上。

6.2.3 采用GNSS接收机进行坝体表面水平位移在线安全监测应符合下列规定：

1 基准点和监测点施工与设备安装应符合下列规定：

1)基准点和监测点的布设位置应符合本规范第5.3.4条第1款的规定；

2)基准点和监测点的施工与安装应符合本规范第5.3.4条第2款的规定；

3)基准点、监测点应分别安装GNSS接收机、天线、供电及通信控制装置和防雷击设施。

2 监测要求应符合本规范第5.3.4条的规定。

3 GNSS监测数据宜采用自由网平差法自动平差计算，平差计算软件应具备因个别GNSS接收机掉线而重新组网的功能。

6.2.4 采用激光准直仪进行坝体表面水平位移在线安全监测应符合下列规定：

1 基准点和监测点施工与设备安装应符合下列规定：

1)基准点和监测点设置应符合本规范第5.3.2条的规定；

2)激光发射器和靶头宜安装倒锤线；

3)整个光路上应无障碍物，光路附近应设立安全警示标志；

4)目标板或感应器应稳固设立在变形比较敏感的部位并与光路垂直；

5)激光器应采取防尘、防水措施。

2 调试激光准直仪时，应将收到的激光光斑调至最小、最清晰。

3 自动监测应符合现行国家标准《工程测量规范》GB 50026的有关规定。

Ⅱ 坝体表面竖向位移监测

6.2.5 坝体表面竖向位移在线安全监测可采用静力水准仪、伺服型全站仪、GNSS接收机等仪器设备。

6.2.6 采用静力水准仪进行坝体表面竖向位移在线安全监测应符合下列规定：

1 静力水准仪可用于尾矿库混凝土坝、浆砌石坝、土石坝及初期坝的坝体表面竖向位移监测。

2　基准点和监测点施工与设备安装应符合下列规定：

1)监测点与基准点高程宜一致，基准点宜低于监测点10mm～20mm，但其高差最大不应大于静力水准仪量程的30%；

2)静力水准仪安装宜符合本规范第B.0.3条的规定；

3)同一条线路上静力水准仪之间的液体连通管应低于各监测点，连通管在输入防冻液时，应从一端灌注防冻液，应确保液体连通管内的空气排尽，防冻液冰点应低于当地历史最低纪录；

4)连通液表面应倒上50mL硅油，仪器应做好防尘处理；

5)静力水准仪上应安装防盗、防碰撞保护装置，并应方便检查与维护。

3　自动监测应符合现行国家标准《工程测量规范》GB 50026的有关规定。

6.2.7　采用伺服型全站仪进行坝体表面竖向位移在线安全监测时，应与坝体表面水平位移同步进行，监测应符合本规范第5.3.7条的规定。

6.2.8　采用GNSS接收机进行坝体表面竖向位移在线安全监测时，应与坝体表面水平位移同步进行，监测要求应符合本规范第5.3.4条的规定。

Ⅲ　坝体内部位移监测

6.2.9　坝体内部水平位移在线安全监测宜采用滑轮式电子测斜仪，并应符合下列规定：

1　监测设施安装及埋设宜符合本规范第C.1节的规定。

2　测斜管底部稳定时，内部水平位移监测点宜以测斜管底部为起算；测斜管底部不稳定时，内部水平位移监测点应以测斜管顶部为起算，且测斜管顶部应固定在坝体表面水平位移观测墩的混凝土基础上。

3　测斜孔内应安装防锈钢丝绳，钢丝绳的上端应固定在测斜孔孔口的混凝土保护墩上；测斜仪的上端应与钢丝绳牢固连接，并应按设计高度安装在测斜孔内。

4 测斜孔孔口应安装防盗、防碰撞保护装置，并应方便检查与维护。

5 电子测斜仪的自动监测应满足仪器使用说明的要求。

6 当坝体内部水平位移监测点以测斜管顶部为起算时，应以该处同一时间的坝体表面水平位移量作为各监测点的起算数值。

6.2.10 坝体内部竖向位移在线安全监测宜采用单点沉降仪，并应符合下列规定：

1 填土工程应采用分层预埋方式安装，已建坝体应采用钻孔预埋方式安装。

2 监测设施安装及埋设宜符合本规范第 C.2 节的规定。

3 单点沉降仪监测孔顶部应安装防盗、防碰撞保护装置，并应方便检查与维护。

4 单点沉降仪的自动监测应满足仪器使用说明的要求。

6.3 渗流监测

Ⅰ 浸润线监测

6.3.1 浸润线在线安全监测宜采用电子渗压计，并应符合下列规定：

1 浸润线监测设施安装与埋设应符合下列规定：

1) 浸润线监测孔的施工与安装宜符合本规范第 D.1 节的规定；

2) 浸润线监测孔内应安装防锈钢丝绳，钢丝绳的上端应固定在浸润线监测孔孔口的混凝土保护墩上；浸润线监测孔中应按设计高度安装渗压计，渗压计的上端应与钢丝绳牢固连接；

3) 尾矿坝上宜安装一套带有供电和通信控制装置的电子气压计；

4）浸润线监测孔孔口应安装防盗、防碰撞保护装置，并应方便检查与维护。

2 浸润线在线安全监测设施安装后，应采用全站仪或水准仪测定浸润线监测孔的孔口高程，测量宜符合现行国家标准《工程测量规范》GB 50026 的有关规定。

3 电子渗压计的自动监测应满足仪器使用说明的要求。

4 汛期前，应检测浸润线监测孔孔口高程。

5 监测时，应对电子渗压计和电子气压计进行同步测量，并应对渗压计的测量值进行当地气压补偿改正。

6.3.2 中线法筑坝时，浸润线监测孔孔口应设置标尺，并应符合下列规定：

1 标尺应安装稳固且垂直，铅垂偏差不应大于1°。

2 标尺刻划面应正对坝体下游坡面视频监控装置。

3 标尺安装后，应采用全站仪或水准仪测定标尺顶部高程，测量宜符合现行国家标准《工程测量规范》GB 50026 的有关规定。

4 应采用视频监控坡面在标尺上对应的刻划，应计算坝体下游坡面高程和浸润线埋深，并应将监测数据输入尾矿库在线安全监测系统。

Ⅱ 渗流压力监测

6.3.3 渗流压力在线安全监测宜采用孔隙水压力计，并应符合下列规定：

1 孔隙水压力计安装埋设宜符合本规范第 D.2 节的规定。

2 埋设前应将孔隙水压力计饱水 24h，并应以提至水面测计零压状态下的稳定观测值作为基准值。

3 孔隙水压力计的自动监测应满足仪器使用说明的要求。

Ⅲ 渗流量监测

6.3.4 渗流量在线安全监测宜采用量水堰法或电子流量计。

6.3.5 采用量水堰进行渗流量在线安全监测应符合下列规定：

1 量水堰安装方法宜符合本规范第 D.3 节的规定。

2　在量水堰内侧岸边直线位置应安装电子水位计，电子水位计底部应低于量水堰堰口最低处20mm。

3　电子水位计的自动监测应满足仪器使用说明的要求。

6.3.6　采用电子流量计进行渗流量在线安全监测应符合下列规定：

1　电子流量计应安装在尾矿坝下游排渗沟直线段。

2　电子流量计的沟槽宜采用防锈材料制作，沟槽的加工尺寸应符合流量计的使用条件要求。

3　电子流量计的自动监测应满足仪器使用说明的要求。

Ⅳ　渗流水浑浊度监测

6.3.7　渗流水浑浊度在线安全监测宜采用电子浊度仪，并应符合下列规定：

1　左、右坝肩及初期坝宜布置渗流浑浊度监测点。

2　仪器不宜安装在强光直射及强电磁干扰的地方。

3　连接仪器的进水口和出水口的管道应牢固，并应无漏水现象。

4　电子浊度仪的自动监测应满足仪器使用说明的要求。

6.4　库水位监测

6.4.1　库水位在线安全监测可采用雷达液位计、超声波液位计、水位尺结合视频等仪器设备。

6.4.2　采用雷达液位计或超声波液位计进行库水位在线安全监测应符合下列规定：

1　应在尾矿库库内排水井、排水斜槽等适宜库水位监测的位置安装钢支架，并应在钢支架上安装液位计、供电及通信控制装置和防雷击设施。

2　液位计应具有气温补偿和防水、防雷等功能。

3　液位计探头安装应垂直向下，液位计正下方至水面之间应无障碍物。

4　液位计安装后，应采用全站仪或水准仪测定库水位高程，应用液位计同步测定探头中心至库水面的高度，测量宜符合现行国家标准《工程测量规范》GB 50026 的有关规定。

5　液位计的自动监测应满足仪器使用说明的要求。

6　汛期前应检测液位计探头中心高程。

6.4.3　采用水位尺配合视频进行库水位在线安全监测应符合下列规定：

1　水尺安装和水尺尺顶高程测定宜符合现行国家标准《工程测量规范》GB 50026 的有关规定。

2　水尺刻划应正对视频监控装置，视频图像应清晰。

3　库水位应每天监测，水尺上水面线刻划数应通过视频读取2次，其读数较差不应大于 10mm，应取平均值作为库水位监测值。

4　监测后应将库水位监测数据输入尾矿库在线安全监测系统。

6.5　干滩监测

6.5.1　干滩在线安全监测宜采用自动与人工相结合的监测方式。自动监测可采用免棱镜激光测距仪、超声波测距仪、数码相机等仪器设备。

6.5.2　采用测距仪进行滩顶高程在线安全监测应符合下列规定：

1　应在尾矿坝滩顶安装钢支架，在钢支架上应安装测距仪、供电及通信控制装置和防雷击设施。

2　测距仪安装后，应采用全站仪或水准仪测定测距仪正下方的地面高程，应用测距仪同步测量测距头中心至地面的高度，测量宜符合现行国家标准《工程测量规范》GB 50026 的有关规定。

3　自动监测应符合现行国家标准《工程测量规范》GB 50026 的有关规定。

6.5.3　采用数码相机进行干滩长度在线安全监测应符合下列

规定：

1 数码相机应符合下列规定：

1) 数码相机应选用工业型摄像头；

2) 数码相机的分辨率、焦距宜根据现场目标分布及观测条件进行配置；

3) 数码相机应在室内三维控制场进行检校，相机主距、主点偏移、物镜光学畸变参数的检校中误差应小于0.5像素。

2 监测设施的施工与设备安装应符合下列规定：

1) 应在尾矿坝坝顶两侧安装钢支架，当干滩长度大于300m时，宜在库区水线两侧增设钢支架。各钢支架上应分别安装数码相机、供电及通信控制装置和防雷击设施；

2) 数码相机主光轴与尾矿坝坝面水平夹角宜为30°～90°，垂直夹角宜为0°～45°；

3) 数码相机镜头应照准监测目标，并调整参数使监测目标的中心位于相幅中央；

4) 数码相机应安装防水罩。

3 数码相机外方位元素的测定应符合下列规定：

1) 应采用全站仪或GNSS接收机测定各像控点的三维坐标，测量宜符合现行国家标准《工程测量规范》GB 50026的有关规定；

2) 相机安置坐标及姿态角应由像控点的空间坐标解算。

4 汛期前应检测数码相机安置坐标及姿态角。

5 数码相机测量三维坐标的精度应进行现场检测，测量中误差不应大于0.2m。

6 自动监测应符合现行国家标准《视频安防监控系统工程设计规范》GB 50395的有关规定。

6.5.4 当尾矿坝干滩为等坡度时，可采用干滩长度、滩顶与库水位之间的高差计算干滩平均坡度。

6.6 降水量监测

6.6.1 降水量在线安全监测可选用自记雨量计、遥测雨量计或自动测报雨量计等。

6.6.2 降水量在线安全监测应符合下列规定：

1 雨量计安装位置应避开强风区，周围应空旷、平坦，不应受突变地形、树木和建筑物以及烟尘的影响，并应方便检查和维护。

2 雨量计的安装宜符合本规范附录E的规定。仪器安装后，承水器口应水平。

3 在安装雨量计的同时，应安装供电、通信控制装置和防雷击设施。

4 雨量计安装后应进行调试，并应符合下列规定：

1）雨量测试量筒应采用专用量筒；

2）人工注水试验不应少于3次，每次宜在5min～10min内均匀注水10mm；

3）雨量计读数与注水量误差不应大于0.2mm/10mm；

4）调试结束应清除试验数据。

5 雨量计的自动监测应满足仪器使用说明的要求。

6.7 排洪设施监测

6.7.1 排洪设施运营状况在线安全监测宜采用视频装置，监控内容应包括杂物堵塞、截水沟损坏、排水能力等。

6.7.2 管、涵排水量在线安全监测应符合下列规定：

1 排水量监测可采用超声波流量仪或电磁流量传感器。

2 排水量监测点宜布设在排洪设施出口处。

3 排水量监测宜符合本规范第6.3.6条的规定。

6.7.3 排洪设施位移在线监测宜符合现行国家标准《工程测量规范》GB 50026的有关规定。

6.8 库区监控

6.8.1 库区监控宜采用视频监控装置。应对溢流井、滩顶放矿处、排尾管道、坝体下游坡、排洪设施进出口、库水位尺、干滩标杆等部位进行实时视频监控。

6.8.2 视频监控装置应包括云台、摄像机、供电及通信设施等现场视频设备和视频服务器、大屏幕显示屏、视频记录机、UPS 电源等室内视频监控设备。

6.8.3 摄像机选型应符合下列规定：

1 固定目标监控的摄像机应选用固定焦距镜头，非固定目标监控的摄像机应选用变焦距镜头。

2 摄像机镜头焦距宜符合现行国家标准《视频安防监控系统工程设计规范》GB 50395 的有关规定。

3 夜间监视的摄像机应具有红外线夜视功能。

6.8.4 现场视频设备安装应符合下列规定：

1 云台转动角度范围应与监控范围相适应，转动应平稳、刹车应无回程。

2 云台安装高度，室内距地面不宜低于 2.5m，室外距地面不宜低于 3.5m；室外宜采用立杆安装，立杆的强度和稳定度应满足摄像机的使用要求。云台与支架安装应牢固。

3 摄像机应牢固安装在云台上，所留尾线长度不应影响云台转动，应对尾线采取保护措施。

4 摄像机镜头应避免强光直射，镜头视场内，不得有遮挡监视目标的物体；镜头应从光源方向对准监控范围，摄像机转动过程应避免逆光摄像。

5 室外视频设备应安装防雷击设施。

6 现场视频设备宜采用光纤通信和 220V 交流供电，视频信号应接入尾矿库监控管理站或监控中心。

6.8.5 视频监控装置调试应符合下列规定：

1 摄像机水平清晰度和灰度应采用综合测试卡进行测试。

2 视频监控装置的联动性能应进行检查和测试。

3 视频记录机的录像质量不应低于4级，应具备图像自动存储功能。

6.9 库区地质滑坡体监测

6.9.1 库区地质滑坡体在线安全监测应包括滑坡体表面位移监测和滑坡体内部位移监测。滑坡体表面位移监测可采用伺服型全站仪或GNSS接收机，滑坡体内部位移监测可采用滑轮式电子测斜仪等。

6.9.2 采用伺服型全站仪进行滑坡体表面位移监测应符合本规范第6.2.2条、第6.2.7条的规定。

6.9.3 采用GNSS接收机进行滑坡体表面位移监测应符合本规范第6.2.3条、第6.2.8条的规定。

6.9.4 采用滑轮式电子测斜仪进行滑坡体内部位移监测应符合本规范第6.2.9条的规定。

7 在线安全监测系统集成

7.1 一般规定

7.1.1 尾矿库在线安全监测系统集成应包括通信网络、供电网络、防雷网络敷设及系统平台安装调试等。

7.1.2 尾矿库在线安全监测系统平台应具备对监测设备进行远程控制与管理、数据采集与建库、数据处理与分析、安全管理与预警、信息发布与图形报表输出、人工安全监测接口等功能，并应满足尾矿坝不断加高时监测项目和监测工作量增加的需要。

7.1.3 尾矿库在线安全监测系统原始观测数据文件、分析文件、报表等资料宜具备远程计算机备份功能。

7.2 监控管理站和监控中心

7.2.1 尾矿库在线安全监测系统应设置监控管理站，可根据尾矿库规模和安全管理需要设置监控中心。

7.2.2 监控管理站应符合下列规定：

1 监控管理站宜与尾矿库值班室布置在一起。

2 监控管理站房应满足设备安装和人员工作要求，应具备照明、通风条件，并应有220V交流电源和防雷、接地装置。

3 监控管理站内应配备监控计算机、大屏幕显示设备、打印机、存储设备、网络设备、UPS不间断电源、隔离稳压电源和防雷设备等。

7.2.3 监控中心应符合下列规定：

1 监控中心宜与尾矿库安全管理部门布置在一起。

2 监控中心应具备设备安装和管理人员工作的条件，应具有照明、通风和温度、湿度调节环境，并应有220V交流电源和防雷、接地装置。

3 监控中心内应配备服务器、UPS不间断电源、隔离稳压电源和防雷设备等。

4 监控中心应配置在线安全监测管理软件。

5 监控中心应预留与尾矿库在线安全监测系统以外的计算机网络系统进行连接的接口。

7.3 通信网络

7.3.1 尾矿库在线安全监测系统应具备与监测仪器设备之间进行双向通信功能，并应与系统外部的通信网络进行连接。

7.3.2 尾矿库在线安全监测系统应采用RS232、RS485/422A、CANbus、Modbus、TCP/IP等国际标准的通信接口和协议。

7.3.3 通信网络可采用双绞线和光纤等有线通信介质，也可采用内部无线通信网络和公共无线通信网络。

7.3.4 通信线路布设时应做线缆的防护接地。

7.4 供电

7.4.1 尾矿库现场监测仪器设备的供电电源可采用普通电源、不间断电源或太阳能供电等，监控管理站和监控中心内的电子设备应采用不间断电源供电。

7.4.2 普通电源供电应符合下列规定：

1 交流电源的电压宜为220V±20V，频率宜为50Hz±1Hz；

2 直流电源的电压宜为5V～24V，纹波电压宜小于5%。

7.4.3 不间断电源供电应符合下列规定：

1 不间断电源应符合下列规定：

1）输入电压宜为三相380V±50V或单相220V±30V，输入频率宜为50Hz±2.5Hz；

2）输出电压宜为220V±10V，频率宜为50Hz±0.5Hz，波形失真率宜小于5%，电源瞬断时间不宜大于20ms，瞬时电压降宜小于10%。

2 不间断电源装置应符合下列规定：

1)电流达到额定电流150%的过载时间不应超过10s；

2)后备电池的供电时间不宜低于30min；

3)达到后备电池额定容量80%的充电时间不宜超过2h。

7.4.4 太阳能供电应符合下列规定：

1 采用单晶硅太阳能电池组件，转换率不宜低于16%。

2 太阳能控制器工作电压宜为12V，最大充电电流不宜低于10A。

3 蓄电池容量应满足连续72h阴雨天气情况下监测设备不停止运行的需要。

7.4.5 电源容量应为供电设计负荷的1.2倍～1.5倍，电源系统应设有电气保护和接地装置，接地电阻不应大于4Ω。

7.5 防 雷

7.5.1 尾矿库在线安全监测系统设备、监控管理站和监控中心的防雷应符合现行国家标准《建筑物防雷设计规范》GB 50057和《建筑物电子信息系统防雷技术规范》GB 50343的有关规定。

7.5.2 现场电子监测仪器设备应安装浪涌保护器。

7.5.3 监控管理站和监控中心内应设接地汇集装置，并应作等电位连接。

7.5.4 接地装置应符合现行国家标准《电气装置安装工程接地装置施工及验收规范》GB 50169的有关规定。

7.5.5 监控管理站和监控中心内的电子设备接地电阻值不应大于4Ω。

7.6 系统调试

7.6.1 系统调试应包括下列内容：

1 监测设备的参数标定；

2 监测指标初始值确定；

3 数据采集、传输、处理等软硬件设备的功能测试；

4 监测指标、监测频次及预警值的设定；

5 系统运行的稳定性和可靠性测试。

7.6.2 系统调试时，在线测量数据应与人工测量数据进行同步比测；系统维修或改造时，应重新进行系统调试。

7.6.3 系统调试后，试运行应符合本规范第4章的有关规定。

8 数据分析与预警

8.1 一般规定

8.1.1 尾矿库安全监测数据分析软件应具备监测数据粗差剔除、平差计算和异常监测成果判别提示功能。

8.1.2 尾矿库在线安全监测系统运行期间,在线安全监测成果应与人工安全监测成果进行对比分析。

8.1.3 尾矿库安全监测预警应由低级到高级分为黄色预警、橙色预警、红色预警三个等级,并应符合下列规定:

1 当同类监测项目的监测点达到3个黄色预警时,该项目应为橙色预警;当同类监测项目的监测点达到2个橙色预警时,该项目应为红色预警。

2 当监测项目达到3项黄色预警时,应计为1项橙色预警;当监测项目达到2项橙色预警时,应计为1项红色预警。

8.1.4 尾矿库安全状况预警应由尾矿库安全监测项目的最高预警等级确定。

8.2 数据整理与分析

8.2.1 安全监测成果应包括原始监测资料、平差计算资料、监测报告书、日常巡查记录和年度巡查及特殊巡查报告等。

8.2.2 安全监测成果整理应符合下列规定:

1 安全监测和现场巡查的记录应准确、清晰、齐全,并应有监测、检查条件的必要说明、影像资料,记录应具有可追溯性。

2 应做好监测数据中各监测物理量的计算、监测成果报告和相关图表制作工作,经初步分析判断发现异常情况时,应立即上报。

3 人工安全监测成果应项目齐全、数据准确、图表完整，并应有文字说明。

8.2.3 监测数据分析应符合下列规定：

1 监测数据分析可采用比较法、图表法、特征值统计法及数学模型法。采用数学模型法做定量分析时，应同时用其他方法进行定性分析。

2 监测数据分析时，应判断各监测物理量的变化趋势和确定尾矿库的不安全因素，并应结合现场巡查情况综合评价尾矿库的安全状态和预测变化趋势。

3 对监测项目、系统平台参数设置、监测仪器和监测方法等应提出修改、完善建议。

8.2.4 尾矿库在线安全监测系统应建立现场巡查、人工安全监测、在线安全监测的原始监测数据库及监测成果数据库、预警信息数据库，并应满足当地安全生产监督管理部门的信息平台接口要求。

8.2.5 尾矿库在线安全监测、人工安全监测每年应进行一次专门数据分析，下列情况应增加专门数据分析：

1 尾矿库竣工验收时；

2 尾矿库安全检查评价时；

3 尾矿库闭库时；

4 出现异常或险情状态时。

8.2.6 监测资料和分析评价报告等成果应建档保存。

8.3 监测预警

8.3.1 尾矿库安全监测项目的预警等级应按表8.3.1确定。

表8.3.1 尾矿库安全监测项目的预警等级

监测项目	黄色预警	橙色预警	红色预警
现场巡查	○	○	○
尾矿坝位移量、位移变化速率	○	○	○

续表 8.3.1

监测项目	黄色预警	橙色预警	红色预警
尾矿库堆积坝外坡浸润线	—	○	○
尾矿坝最小安全超高与最小干滩长度	—	○	○
库水位	—	○	○
降水量	○	○	—
库区地质滑坡体位移	—	○	○

8.3.2 尾矿库现场巡查的预警阈值应按表 8.3.2 确定。

表 8.3.2 现场巡查预警阈值

巡查项目	黄色预警阈值	橙色预警阈值	红色预警阈值
排洪设施	排洪设施出现裂缝、变形、腐蚀或磨损，排水管接头漏沙等	排洪系统部分堵塞或坍塌，排水能力下降达不到设计要求；排水井有所倾斜；排水拱板、盖板局部出现裂缝	排洪系统严重堵塞或坍塌，不能排水或排水能力急剧下降；排水井显著倾斜，有倒塌迹象；排水拱板、盖板出现贯通性裂缝
尾矿坝	出现较多的局部纵向或横向裂缝；出现渗透水自高位出逸，坝面局部沼泽化；坝外坡冲蚀严重，出现较多或较大冲沟；部分高程上堆积边坡过陡，可能出现局部失稳	出现大面积纵向裂缝；出现较大范围渗透水高位出逸；出现大面积沼泽化；出现浅层滑动迹象；整体外坡坡比陡于设计值	出现贯穿性横向裂缝；出现管涌、流土变形；出现深层滑动迹象
尾矿库库水位	—	调洪库容不足，在最高洪水位时不能同时满足设计规定的安全超高和最小干滩长度要求	调洪库容严重不足，可能出现洪水漫顶

8.3.3 尾矿坝位移量、位移变化速率的正常运营值宜根据尾矿库特点、工程类比、已有监测成果统计分析及试验研究等确定。尾矿坝位移的预警阈值应按表8.3.3确定。

表8.3.3 尾矿坝位移预警阈值

尾矿坝位移预警项目	黄色预警阈值	橙色预警阈值	红色预警阈值
监测点的位移速率变化量	正常运营值的1.3倍	正常运营值的2倍	正常运营值的3倍
同级子坝相邻监测点的位移速率	正常运营值的1.3倍	正常运营值的2倍	正常运营值的3倍

8.3.4 尾矿库堆积坝外坡浸润线埋深的红色预警阈值应根据设计文件和现行国家标准《尾矿设施设计规范》GB 50863确定，橙色预警阈值宜取红色预警阈值的1.1倍。

8.3.5 尾矿坝最小安全超高与最小干滩长度的预警阈值确定应符合下列规定：

1 尾矿坝最小安全超高与最小干滩长度的红色预警阈值应根据设计文件和现行国家标准《尾矿设施设计规范》GB 50863确定。

2 最小安全超高的橙色预警阈值宜取红色预警阈值的1.2倍～1.5倍，最小干滩长度的橙色预警阈值宜取红色预警阈值的1.1倍～1.4倍。

3 最小安全超高和最小干滩长度中任一个达到预警阈值应预警。

8.3.6 库水位的红色预警阈值应根据尾矿库最小安全超高与最小干滩长度对应的水位确定。橙色预警阈值宜取汛前控制水位值或生产运行控制水位值。

8.3.7 降水量的预警阈值应按表8.3.7确定。

8.3.8 库区地质滑坡体位移红色预警阈值宜根据地质滑坡体勘察设计文件确定，橙色预警阈值宜取红色预警阈值的80%。

表 8.3.7 降水量预警阈值

黄色预警阈值	橙色预警阈值
当地气象部门预报的台风、暴雨天气	尾矿库设计防洪标准对应的降水量
1h 内降水量 16mm	
3h 内降水量 20mm	
6h 内降水量 25mm	
12 h 内降水量 30mm	
24h 内降水量 50mm	

8.4 信 息 反 馈

8.4.1 信息反馈可采用尾矿库在线安全监测系统信息发布、手机短信、邮件、声音报警等方式告知相应部门和人员，红色预警信息应立即用电话方式告知相应部门和人员，并应送达书面报告。

8.4.2 尾矿库企业应结合本企业尾矿库安全管理组织体系，将各级安全管理人员的姓名、部门、职务、邮箱、手机和电话等信息录入尾矿库在线安全监测系统平台。

8.4.3 尾矿库在线安全监测系统应按照管理权限要求将预警信息实时自动反馈给各级安全管理人员。预警事件得到处置且尾矿库运行正常，尾矿库在线安全监测系统应解除预警。

9 项目验收

9.0.1 尾矿库在线安全监测系统应在满足下列条件后进行项目验收：

1 承建单位对本项目已进行了内部验收并合格；

2 连续无故障试运行达到60d以上；

3 监测技术指标满足设计要求；

4 项目设计、施工、自检、内部验收等各阶段资料齐全。

9.0.2 尾矿库在线安全监测系统验收依据应包括下列内容：

1 项目招投标文件和项目合同书；

2 项目技术设计书和设计图件。

9.0.3 尾矿库人工安全监测项目验收应包括下列内容：

1 技术报告书及竣工图件和项目内部验收报告；

2 监测设备的检定证书、出厂率定资料和合格证书；

3 工程施工记录和隐蔽工程相关影像资料；

4 监测仪器设备和监测设施现场检查。

9.0.4 尾矿库在线安全监测系统验收应包括下列内容：

1 技术报告书及竣工图件、项目内部验收报告和系统试运行报告；

2 监测设备的检定证书、出厂率定资料和合格证书；

3 工程施工记录和隐蔽工程相关影像资料；

4 监测仪器设备和数据采集、通信、供电、防雷设施的现场检查；

5 在线安全监测与人工安全监测的比测数据分析报告；

6 系统运行功能及技术指标。

10 运行维护与资料建档

10.0.1 尾矿库在线安全监测系统应全天候连续正常运行。系统出现故障时，排除故障时间不宜超过7d，排除故障期间应保持无故障监测设备正常运行。

10.0.2 尾矿库在线安全监测系统应满足尾矿坝不同施工阶段的需要。系统扩建期间，不应影响已建成系统的正常运行。

10.0.3 尾矿库在线安全监测系统的运行管理应配备专业人员负责。

10.0.4 在汛期前后、地震后，应对尾矿库在线安全监测系统进行检查，且每年对尾矿库在线安全监测系统的全面检查次数不应少于3次。

10.0.5 在线安全监测仪器的日常保养和检查工作应按仪器使用说明书的要求进行，对于出现故障或受损的监测仪器应进行修复或更换；人工安全监测仪器使用后应进行保养和维护，用电仪器应每月通电检验1次，入水监测器具应擦净晾干，并应涂抹防护油。

10.0.6 监测设施的日常检查工作应按尾矿库安全监测系统工程技术报告书的要求进行，对于受损的监测设施应进行修复。尾矿库除险加固或改扩建中需保留的监测设施，应采取保护措施。

10.0.7 尾矿库在线安全监测系统工程建档资料应包括下列内容：

1 技术设计书、设计图件及变更设计资料；

2 技术报告书；

3 承建单位内部验收报告、系统试运行报告及系统比测报告；

4 系统使用维护手册；

5 项目验收资料及验收意见书；

6 仪器档案资料；

7 基准点、工作基点和监测点(孔)的点之记，监测设备、设施总体布置图和监测设备施工安装竣工图；

8 工程施工记录和隐蔽工程相关影像资料。

10.0.8 尾矿库运营期间的监测成果资料应归档保存。

10.0.9 尾矿库在线安全监测、人工安全监测成果资料存档保管应符合档案管理要求。

附录A 现场巡查

表A 现场巡查

尾矿库名称：　　　　　　　　　　　　　　　管理单位：

巡视检查对象或内容		损坏或异常情况	备　　注
尾矿坝	坝顶		
	坝坡		
	坝脚		
	两岸坝端		
	排渗设施		
	干滩		
	坝面排水系统		
排洪设施	排水井		
	排水斜槽		
	排水涵管		
	排洪隧洞及排水孔		
	溢洪道		
	截洪沟		
安全监测设施	位移监测设施		
	坡比监测设施		
	渗流监测设施		
	干滩监测设施		
	库水位监测设施		
	降水量监测设施		
	滑坡体监测设施		
	通信、视频、供电、防雷等设施		

续表 A

巡视检查对象或内容		损坏或异常情况	备　　注
库区	库水位		
	岸坡		
	尾矿排放设施		
	放矿及筑坝		
周边环境	周边地质环境		
	违章建筑施工		
	违章采选作业		
	其他涉及尾矿库安全的项目		
时间：　　　　年　　月　　日		巡查人：	

附录B 坝体表面位移监测

B.0.1 表面位移观测墩的制作及埋设宜按图B.0.1确定。

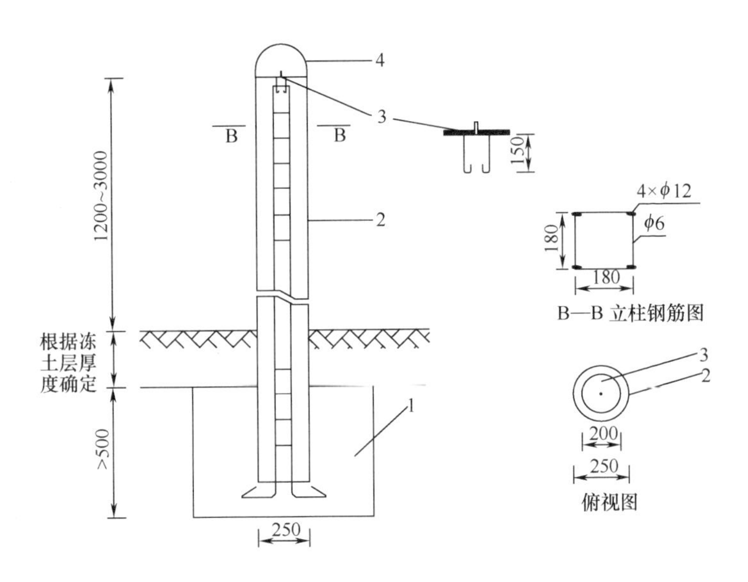

图B.0.1 观测墩图(mm)

1—观测墩底座;2—立柱;3—强制对中底板;4—保护装置

B.0.2 水准基准点标石的制作及埋设宜按图B.0.2确定。

B.0.3 静力水准仪的安装宜按图B.0.3确定。

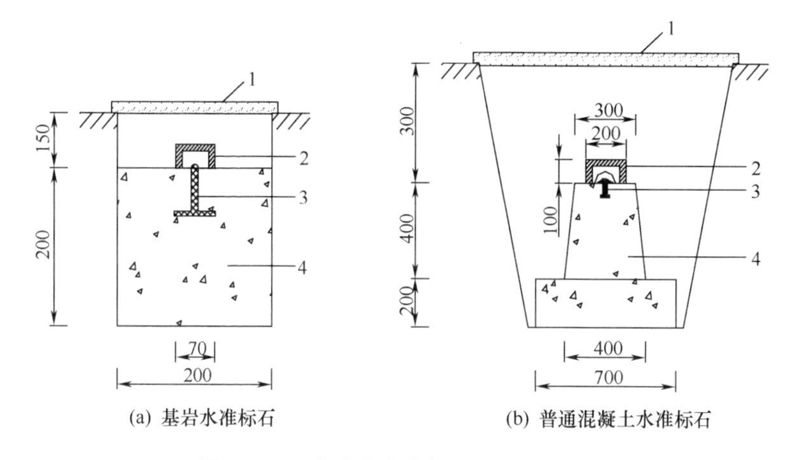

图 B.0.2　水准基准点标石埋设图(mm)

1—混凝土盖板;2—内盖;3—水准标志;4—浇筑混凝土

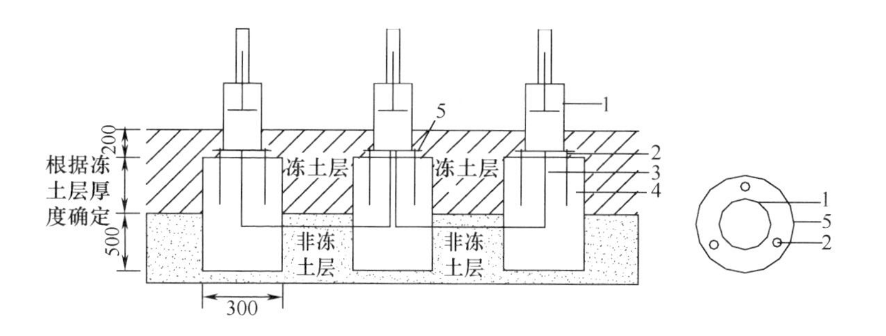

图 B.0.3　静力水准仪安装图(mm)

1—静力水准仪;2—螺纹支撑杆;3—液体连通管;
4—混凝土基座;5—静力水准仪底板

附录C　坝体内部位移监测

C.1　测斜管安装埋设

C.1.1　测斜管造孔应符合下列规定：

1　埋设测斜管时，宜采用钻机造孔。

2　测斜管钻孔直径不宜小于110mm。钻孔时，应保持钻杆处于铅垂状态；可采用泥浆固壁；当采用套管护壁时，应确保套管在安装测斜管后能够拔出。

3　钻孔深度应深入基岩或相对稳定地层0.5m～2m，钻孔铅直度偏差应满足50m孔深内不大于±3°。

4　钻孔完毕后，应测量孔深。

C.1.2　测斜管安装（图C.1.2）应符合下列规定：

1　埋设前，应对钻孔深度、孔底高程、孔内水位、有无塌孔，以

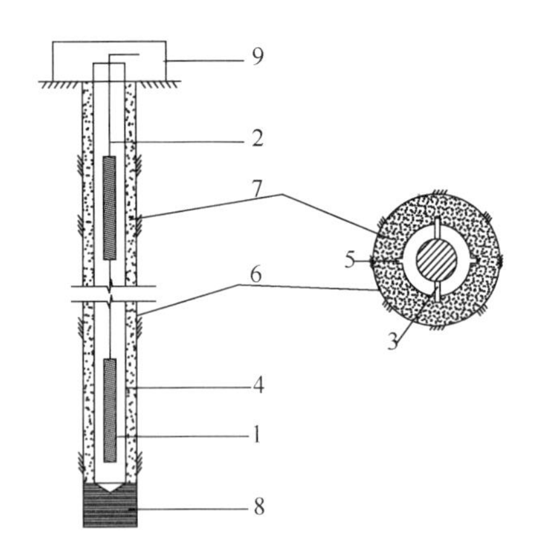

图C.1.2　测斜管安装示意图

1—测斜仪；2—数据线/钢丝绳；3—导向轮；4—测斜管；5—导槽；6—钻孔；7—粗砂充填；8—沉积段；9—保护墩

及测斜管加工质量、各管段长度、接头、管帽情况等进行全面检查，并应做好记录。

2 测斜管可选择ABS、PVC工程塑料和铝合金等稳定性较好的材质，测斜管导槽应平整、顺直。

3 测斜管安装时，应确保测斜管其中一对导槽垂直于坝轴线方向，接管时，应对正导槽，每节测斜管垂直度偏差不应大于1°。

4 测斜管安装时，管底应封闭，测斜管两端接头处宜采用外丝扣，应用外箍接头相连。管接头应密封。

5 测斜管安装时，测斜管底端应深入基岩或稳定地层0.5m～2m。

6 测斜管安装完毕后，宜采用粗砂回填。回填时不应大批量倾倒，可冲水密实。

C.1.3 测斜管管口保护应符合下列规定：

1 测斜管安装完毕后，应安设管口保护装置。

2 管口保护装置可采用混凝土预制件、现浇混凝土或砖石砌筑，结构应简单、牢固，应能防止人畜破坏，并应锁闭且开启方便。

3 保护墩尺寸和形式应根据坝体内部位移的测读方法确定。当采用在线安全监测装置时，还应满足在线安全监测仪表的接线要求。

C.2 单点沉降计安装埋设

C.2.1 单点沉降计造孔应符合下列规定：

1 单点沉降宜采用钻机造孔。

2 钻孔直径宜为ϕ90mm～ϕ110mm。钻孔时，宜保持钻杆处于铅垂状态；可采用泥浆固壁。

3 钻孔深度应至坝体底部稳定的土层（基岩）0.5m～1.0m，钻孔铅垂度应小于1°。

4 钻孔完毕后，应测量孔深。

C.2.2 单点沉降计安装（图C.2.2）应符合下列规定：

1 埋设前，应对钻孔深度、有无塌孔以及测杆加工质量、接头等进行检查，并应做好记录。

2 埋设前宜对仪器进行预装，连接杆件宜排列整齐，连接应牢固，密封应可靠。

3 宜用等径接头连接好锚头与测杆，接好锚头的测杆应缓慢放入已钻好的钻孔内，应确保单点沉降计的锚头与基岩直接接触。

4 锚头安装至基岩后，孔底应注水泥浆 1m～2m。

5 测杆顶部应安装单点沉降计和沉降盘，单点沉降计安装时应确保沉降计至满量程。

7 沉降计安装好，待水泥浆沉淀 2 h 后，应往孔内灌沙回填。

8 在沉降计安装好后 3d～5d 内，沉降盘上部不得碾压。

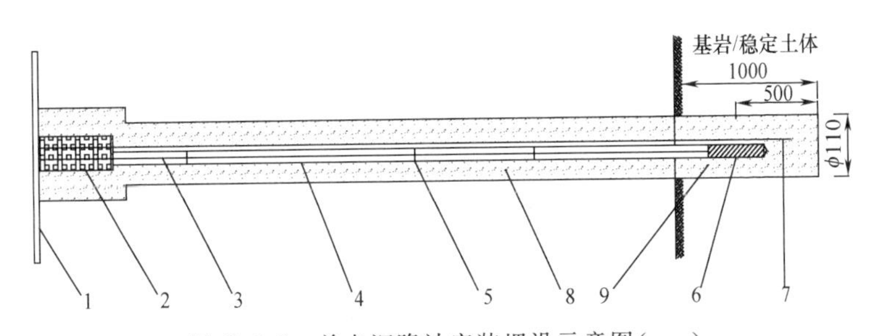

图 C.2.2 单点沉降计安装埋设示意图(mm)

1—沉降盘；2—传感器主体；3—测杆；4—护管；5—护管接头；6—锚头；7—灌浆管；8—细砂；9—水泥砂浆

C.2.3 单点沉降计管口保护的要求应符合本规范第 C.1.3 条的规定。

附录D 渗流监测

D.1 测压管安装埋设

D.1.1 测压管造孔应符合下列规定：

1 埋设测压管时，宜采用人工或钻机造孔。

2 埋设单管时，钻孔直径不宜小于100mm；埋设多管时，应根据装管数量及管径，自下而上逐级扩径，每增加一根测管，孔径应至少扩大一级。应自上而下逐级成孔、自下而上逐管埋设。

3 钻孔铅垂度应小于3°，钻孔深度应至坝体控制浸润线深度以下不小于3m。

4 造孔宜采用岩芯管冲击法干钻，并应对岩芯做编录描述。不得用泥浆固壁。需要防止塌孔时，可采用套管护壁，导管难以拔出时，应事先在监测部位的套管壁上钻好透水孔。终孔后应测量孔深。

D.1.2 测压管(图D.1.2)的制作应符合下列规定：

1 测压管应由透水段和导管组成。透水段长度不应小于1m，可用导管管材加工制作，开孔面积宜为导管面积的8%～10%，孔眼形状宜采用梅花形控制，排列应均匀，内壁应无毛刺；导管长度应根据设计浸润线埋深值和现场实际情况确定。

2 测压管外部应包扎200g/m^2～300g/m^{2}土工布，管底应封闭，不宜留沉淀管段。也可采用与导管等直径的多孔聚乙烯过滤管或透水石管作透水段。

3 透水段顶端与导管应牢固相连。两端接头处宜采用外箍接头相连。

D.1.3 测压管安装埋设(图D.1.3)应符合下列规定：

1 埋设前，应对钻孔深度、孔底高程、孔内水位、有无塌孔，以

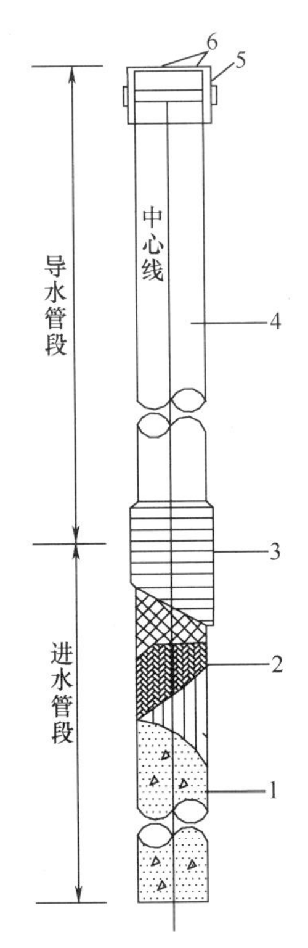

图 D.1.2　测压管结构示意图

1—进水孔；2—土工织物过滤层；3—外缠铅丝；4—金属管或硬工程塑料管；5—管盖；6—电缆出线及通气孔

及测压管加工质量、各管段长度、接头、管帽情况等进行检查，并应做好记录。

2　放入测压管前应先在孔底填约10cm厚的反滤料。放入测压管过程中，应将测压管逐根对接放入孔内。就位后，应在测压管与孔壁间回填反滤料，并应逐层夯实至设计进水段高程。

3　反滤料应防止细颗粒进入测压管，并应具有透水性，渗透系数宜大于周围土体的10倍～100倍。对黏壤土或砂壤土可用纯净细砂；对砂砾石层可用细砂-粗砂的混合料。反滤料回填前应洗净、风干，并应缓慢入孔。

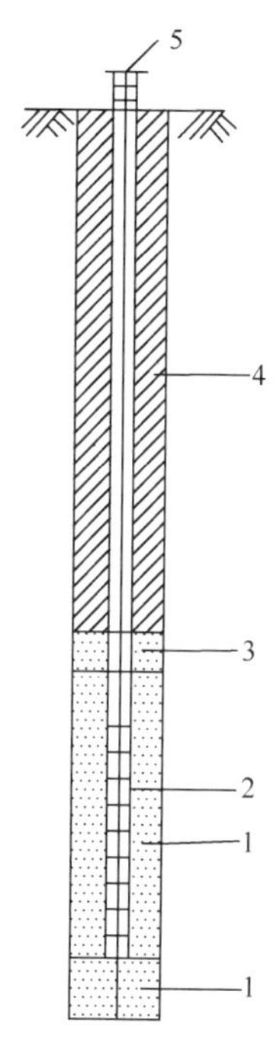

图 D.1.3 测压管安装埋设示意图

1—中粗砂反滤；2—测压管；3—细砂；4—封孔料；5—管盖

D.1.4 测压管封孔应符合下列规定：

1 对不需要监视渗透的非反滤料孔段，应封闭严密。对一孔埋设多个分层测点者，各分层测点间应隔离止水，宜在导管外叠套橡皮圈或油毛毡圈 2 层～3 层再填封孔料。

2 封孔材料宜采用膨润土球或高崩解性黏土球。土球应由直径 5mm～10mm 的不同粒径组成，应风干，不宜日晒或烘烤。封孔时应逐粒投入孔内，可掺入 10%～20%的同质土料。应逐层捣实。不得大批量倾倒。管口下 1m～2m 范围内应采用夯实法回填黏土。

3 封孔至设计高程后，应向管内注水，注水水面应超过泥球段顶面。

D.1.5 灵敏度试验应符合下列规定：

1 测压管安装、封孔完毕后应进行灵敏度试验，试验应在库水位稳定期进行。试验前应先测定管中水位，然后向管内注水。进水段周围为壤土料时，注水量宜为每米测压管容积的3倍～5倍；进水段周围为砂粒料时，注水量宜为每米测压管容积的5倍～10倍，注入后应持续观测水位，并应直至恢复到或接近注水前的水位。对于黏壤土，注水水位在120h内降至原水位应判为合格；对于砂壤土，24h内降至原水位应判为合格；对于砂砾土，1h～2h降至原水位或注水后水位升高不到3m～5m应判为合格。

2 测压管埋设后应检验封孔止水是否可靠。

D.1.6 测压管管口保护应符合下列规定：

1 测压管通过灵敏度试验合格后，应安设管口保护装置。

2 管口保护装置可采用混凝土预制件、现浇混凝土或砖石砌筑，结构应简单、牢固，应能防止雨水流入和人畜破坏，并应锁闭且开启方便。

3 保护装置的尺寸和形式应根据测压管水位的测读方法而定，当采用自记或遥测装置时，还应满足测量仪表的要求。

D.2 孔隙水压力计安装埋设

D.2.1 坑式埋设法应符合下列规定：

1 初期坝内、坝基表部孔隙水压力计的埋设可采用坑式埋设法。在坝内埋设，当坝面堆筑高程超出测点埋设高程约0.3m时，应在测点挖坑，坑深宜为0.4m，宜采用砂包裹体的方法将孔隙水压力计在坑内就地埋设。砂包裹体宜由中粗砂组成，并应用水饱和。然后应采用薄层铺料、专门压实的方法，按设计回填原开挖料。埋设后的孔隙水压力计上方的回填安全覆盖厚度不应小于1m。

2　孔隙水压力计的连接电缆敷设应符合下列规定：

1）连接电缆可沿坝面开挖沟槽敷设；当横穿防渗体敷设时，应加设阻水环；当在堆石坝壳内敷设时，应加设保护管；当进入监测房时，应采用钢管保护；

2）连接电缆在敷设时应留有裕度，并不得相互交绕；敷设裕度应依敷设的介质材料、位置及高程确定，宜为敷设长度的5%～10%；

3）连接电缆上方的回填安全覆盖厚度，在黏性土填方中不应小于0.5m，在堆石填方中不应小于1m。

D.2.2　钻孔埋设法应符合下列规定：

1　尾矿堆积坝内孔隙水压力计的埋设可采用钻孔埋设法。钻孔孔径应根据孔中埋设的仪器数量确定，宜为ϕ108mm～ϕ146mm。成孔后，应在孔底铺设中粗砂垫层，垫层厚度宜为20cm。

2　孔隙水压力计的连接电缆应加设软管套护，并应铺以与测头相连的铅丝。埋设时，应自下而上依次进行，并应依次以中粗砂封埋测头、以膨润土干泥球逐段封孔。封孔段长度应符合设计要求，回填料和孔料应分段捣实。

3　孔隙水压力计在埋设与封孔过程中，应随时进行检测，不得损坏仪器测头与连接电缆，有损坏时，应修复或重新埋设。

D.3　量水堰安装

D.3.1　量水堰（图D.3.1）选型应符合下列规定：

1　当流量为1L/s～70L/s时，宜采用直角三角形堰。

2　当流量为10L/s～300L/s时，宜采用梯形堰。梯形堰宜用1∶0.25的边坡，底边宽度b应小于堰上水头H的3倍，宜为0.25m～1.5m。

3　当流量大于50L/s时，宜采用矩形堰。堰口b应为堰上水头H的2倍～5倍，宜为0.25m～2m。无侧向收缩的矩形堰，水舌两侧的堰墙上应留有通气孔。

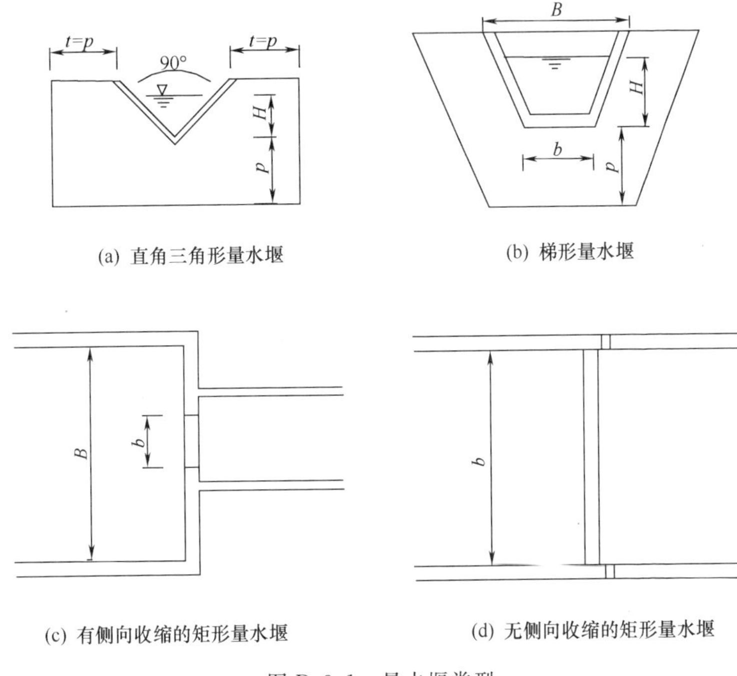

(a) 直角三角形量水堰

(b) 梯形量水堰

(c) 有侧向收缩的矩形量水堰

(d) 无侧向收缩的矩形量水堰

图 D.3.1 量水堰类型

D.3.2 各种类型量水堰的堰板宜采用不锈钢板制作。堰板过流堰口倒角应为45°,尖角宜为 $R0.5mm$～$R1.0mm$ 圆角。堰口高的一面应为上游侧。

D.3.3 量水堰安装(图 D.3.3)应符合下列规定:

1 安装时应控制堰板顶水平,两侧水平高差不应大于1mm;堰板应铅直,铅直度不应大于1°;堰板应与堰槽侧墙垂直,垂直度不应大于2°;堰板应为平面,局部不平整度不应大于3mm。

2 堰槽段长度应大于堰上水头 H 的7倍,且不应小于2m。其中,堰板上游段应大于堰上水头 H 的5倍,且不应小于1.5m;下游段长应大于堰上水头 H 的2倍,且不应小于0.5m。堰槽宽

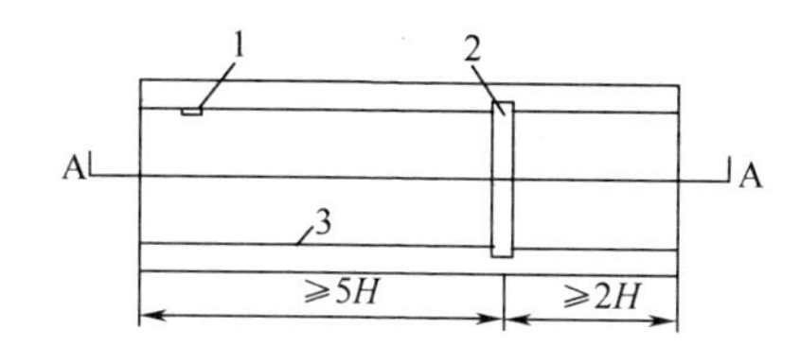

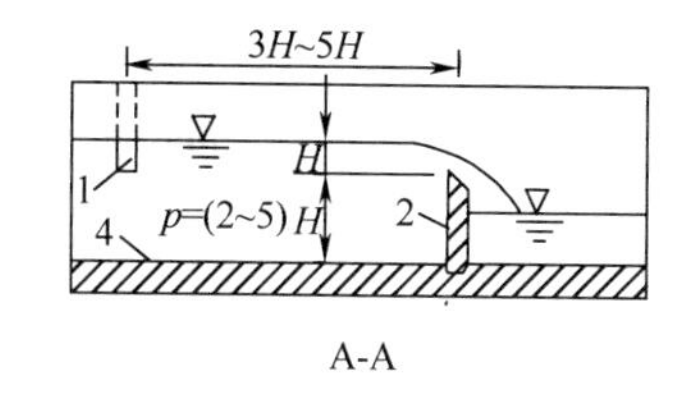

图 D.3.3　量水堰安装结构图

1—水尺或测针；2—堰板；3—侧墙；4—槽底；H—堰上水头；

p—槽底至上游水位的高度

度不应小于堰口最大水面宽度的3倍。

3　堰槽两侧侧墙应平行，平行度不应大于1°，侧墙铅直度不应大于1°，侧墙前面不平整度不应大于3mm，直线度不应大于5mm。

4　侧墙面与堰槽底面的垂直度不应大于2°，槽底面沿槽纵向坡降不应大于1%。

附录E 降水量监测

E.0.1 降水量监测设施应符合下列规定：

1 雨量站的观测场地宜设置在四周空旷、平坦、避开局部地形、地物影响的地方。场地周围应设置保护仪器设备的栅栏。

2 雨量器的结构和技术要求应符合现行行业标准《降水量观测规范》SL 21 的有关规定。

3 雨量器的安装高度应为0.7m，杆式雨量器的安装高度不应超过4m。

4 雨量器应固定安置于埋入土中的圆柱木柱或混凝土基柱上；基柱埋入土中的深度应能保证仪器安装牢固；基柱顶部应平整，承雨器口应水平。应使用特制的带圆环的铁架套住雨量器。铁架脚用螺钉或螺栓应固定在基柱上，并应便于观测时替换雨量筒。

5 宜在雨量器口安装防风圈。

E.0.2 地面雨量器安装埋设（图E.0.2）应符合下列规定：

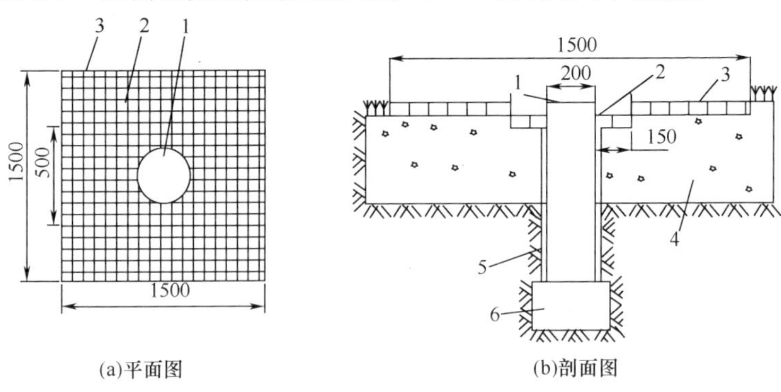

图E.0.2 地面雨量器安装图（mm）

1—雨量器；2—内网格；3—外网格；4—沙石层；5—竖井；6—砖或混凝土基座

1 在安装仪器处，应挖开 $2m^2 \sim 3m^2$，并应挖深 0.5m 以上；回填沙石时，近地面铺土应与地面齐平，并宜种植草皮。

2 在回填沙石场的中心，应做一内径稍大于 20cm 的竖井，井底应用砖或混凝土作基座，井深应满足放在基座上的仪器器口高出地面 5cm 的要求。

3 器口周围设置应用硬质塑料片或防腐薄铁皮制作的防溅网格。网格尺寸宜为 150cm×150cm，每个小方格的长、宽、高尺寸应为 5cm。在网格中心 20cm×20cm 范围内不应做小方格。距中心雨量器周围 15cm 范围内应做成与整体分离的活动网格。

4 网格安置应在草皮上，雨量器应位于网格中心，网格宜与器口同高；与器口相邻的活动网格的安装高度应低于器口 5cm。

5 地面雨量器不应设置在坑内。采用自记雨量计观测时，地下部分宜建地下室。

E.0.3 F-86 型防风雨量器安装埋设(图 E.0.3)应符合下列规定：

1 安装带防风圈雨量器(计)的立柱可用直径 200mm 木柱、混凝土柱或管径 100mm～150mm 钢管制作。立柱上端应固定一圆形钢板，钢板直径应为 260mm，厚度应为 10mm。对立柱下端进行防腐处理后，立柱应牢固埋入地面以下 1.0m～1.5m。

2 放置雨量器(计)的框架应使用 25mm 扁钢焊制，框架大小应能自由放入、取出和稳定仪器。应用 4 个螺栓将框架固定在立柱顶端钢盘上。

3 应将防风圈套在框架外部，应在中部和下部衬圈处，从相互垂直的 4 个方向用连杆与框架连接，应使用螺栓固定。

4 固定在框架上的防风圈，上部圈口应与器口同高。

5 在多风地区测量液态降水量时应加设防风圈，在防风圈的叶片上半部宜粘贴厚 10mm 泡沫塑料片，并应每年更换 2 次。

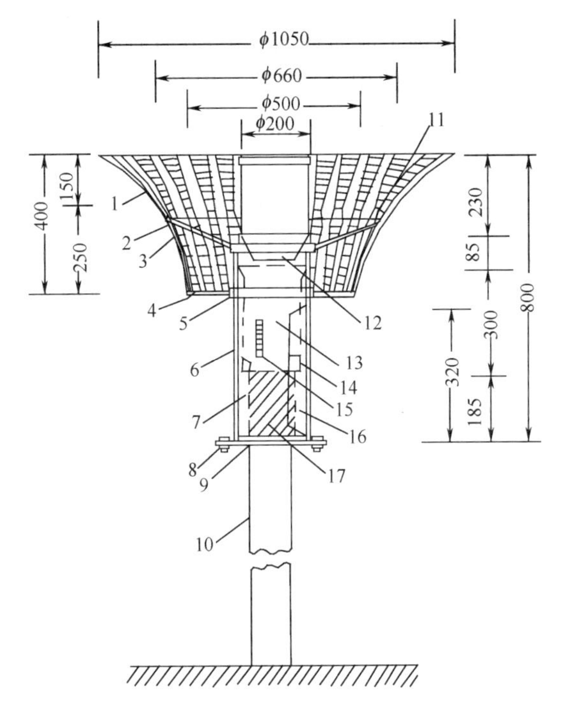

图 E.0.3　F-86 型防风圈雨量器安装图(mm)

1—叶片;2、4、11—上、中、下衬圈;3、5—箍与连杆;6—框架;
7—改装储水桶;8—螺栓;9—圆形钢板;10—钢管立柱;12—改装漏斗;
13—储水器;14—锁;15—把手;16—观测门;17—塑料泡沫垫

本规范用词说明

1 为便于在执行本规范条文时区别对待，对要求严格程度不同的用词说明如下：

1）表示很严格，非这样做不可的：

正面词采用“必须”，反面词采用“严禁”；

2）表示严格，在正常情况下均应这样做的：

正面词采用“应”，反面词采用“不应”或“不得”；

3）表示允许稍有选择，在条件许可时首先应这样做的：

正面词采用“宜”，反面词采用“不宜”；

4）表示有选择，在一定条件下可以这样做的，采用“可”。

2 条文中指明应按其他有关标准执行的写法为：“应符合……的规定”或“应按……执行”。

引用标准名录

《工程测量规范》GB 50026

《建筑物防雷设计规范》GB 50057

《电气装置安装工程接地装置施工及验收规范》GB 50169

《建筑物电子信息系统防雷技术规范》GB 50343

《视频安防监控系统工程设计规范》GB 50395

《尾矿设施设计规范》GB 50863

《混凝土坝安全监测技术规范》DL/T 5178

《地下水环境监测技术规范》HJ/T 164

《降水量观测规范》SL 21

《土石坝安全监测技术规范》SL 551

中华人民共和国国家标准

尾矿库在线安全监测系统工程技术规范

GB 51108 - 2015

条文说明

制 订 说 明

《尾矿库在线安全监测系统工程技术规范》GB 51108—2015，经住房城乡建设部2015年5月11日以第811号公告批准发布。

本规范编制过程中，编制组进行了我国尾矿库在线安全监测系统的技术设计、现场建设、运行、管理和其他相关资料的调查研究，总结了我国尾矿库在线安全监测系统工程建设的实践经验，同时参考了国外先进技术法规、技术标准，通过尾矿库在线安全监测系统工程多次建设试验，取得了监测项目、监测精度指标、监测方法、监测数据分析等重要技术参数；并在全国范围内多次征求了有关单位及业内专家的意见，对一些重要问题进行了专题研究和反复讨论，最后召开了专家审查会议，共同审查定稿。

为便于广大设计、施工、科研、学校等单位有关人员在使用本标准时能正确理解和执行条文规定，《尾矿库在线安全监测系统工程技术规范》编制组按章、节、条顺序编制了本标准的条文说明，对条文规定的目的、依据以及执行中需注意的有关事项进行了说明，还着重对强制性条文的强制性理由做了解释。但是本条文说明不具备与规范正文同等的法律效力，仅供使用者作为理解和把握规范规定的参考。

目　次

1 总　　则

1.0.1 随着国民经济的不断发展和国家对矿产资源的开发利用，尾矿坝的数量和高度呈现日益增多增高之势，尾矿坝因筑坝方式、筑坝工艺、坝体结构、坝体性能等因素而均不同于水利工程的土石坝。各种因素对尾矿坝坝体堆填影响可能是无序的，尾矿库又是一个具有高势能的人造泥石流灾害危险源，存在溃坝危险，一旦失事，容易造成重特大事故，而事故又可能是灾难性的。为了保障尾矿库安全有序运行，有效遏制非煤矿山重特大事故的发生和降低总事故量，《国务院关于进一步加强企业安全生产工作的通知》（国发〔2010〕23 号）、《国务院安委会办公室关于贯彻落实〈国务院关于进一步加强企业安全生产工作的通知〉精神进一步加强非煤矿山安全生产工作的实施意见》（安委办〔2010〕17 号文）要求，对尾矿库实施在线安全监测监控。

在进行尾矿库在线安全监测系统方案设计时，应以有效反映尾矿库安全状况为前提，以监测技术的先进性为保障，并兼顾监测方案的经济性。

1.0.3 与本规范有关的国家和行业现行标准主要有：

（1）《尾矿堆积坝岩土工程技术规范》GB 50547。

（2）《尾矿设施设计规范》GB 50863。

（3）《工程测量规范》GB 50026。

（4）《尾矿库安全监测技术规范》AQ 2030。

（5）《尾矿库安全技术规程》AQ 2006。

（6）《建筑变形测量规范》JGJ 8。

（7）《土石坝安全监测技术规范》SL 551。

（8）《混凝土坝安全监测技术规范》DL/T 5178。

3 基本规定

3.1 安全监测要求

3.1.1 尾矿库是一个具有高势能的人造泥石流危险源，存在溃坝危险，既有可能造成重大人员伤亡和财产损失，也可能对下游村庄、河流、水库、农田等造成严重环境污染。近年来，时有发生的尾矿库安全事故给人民生命财产和生态环境造成巨大的损失，严重制约了国民经济和矿山企业的可持续发展。分析各起尾矿库安全事故，其有一个共同特性就是没有建立正常运行、监测质量和预警信息可靠的安全监测系统。为了有效遏制尾矿库等矿山重特大事故的发生和继续降低事故总量，《国务院关于进一步加强企业安全生产工作的通知》（国发〔2010〕23号）、《国务院安委会办公室关于贯彻落实〈国务院关于进一步加强企业安全生产工作的通知〉精神进一步加强非煤矿山安全生产工作的实施意见》（安委办〔2010〕17号）要求，对尾矿库实施在线安全监测监控。

有效运行是指尾矿库在线安全监测系统投入使用后要全天候运行，监测数据要符合现行相关规范和技术设计书的要求，预警信息要符合客观实际，要实时、准确反映尾矿库安全运行状况。

3.1.2 为了检验尾矿库在线安全监测系统运行的有效性和监测成果的可靠性，要采用人工安全监测的方法和频率对在线安全监测成果进行比测。

3.1.6 本条为强制性条文。尾矿库在线安全监测系统建立的目的是实时反映尾矿库安全运行状况，及时发现尾矿库的安全隐患，及时准确发布安全预警信息，让尾矿库企业及时采取治理措施消除安全隐患，确保尾矿库安全运行。如果在线安全监测系统发现了安全隐患不能及时反馈给尾矿库企业，或者尾矿库企业不能针对安全隐患及时采取措施，将延误治理隐患和防范事故的时机，不能保障尾矿库及周边环境的安全。尾矿库在线安全监测数据经过分析处理后，达到预警阈值的监测项目要通过在线安全监测系统的页面提示、自动发送手机短信和电子邮件等形式进行即时预警。当尾矿库安全监测项目处于橙色预警或者红色预警时，在线安全监测系统管理员要按照尾矿库安全管理职责和权限要求采用电话、书面报告等方式将尾矿库预警信息分别送达至尾矿库企业负责人及生产安全管理部门，尾矿库企业要按照国家和当地安全生产监督管理部门要求报送尾矿库安全监测预警信息。当尾矿库安全监测项目处于橙色预警时，尾矿库企业必须进行隐患检查治理，将风险降低；当尾矿库安全监测项目处于红色预警时，尾矿库企业必须启动应急救援预案，采取应急抢险措施，保障尾矿库下游人民生命财产安全。

3.2 尾矿库分类

3.2.1 尾矿库等别决定尾矿库的防洪标准和各主要、次要、临时构筑物的级别，是确定安全监测等级的重要依据。

3.3 安全监测等级

3.3.1 尾矿库安全监测对象除了尾矿库本身外，对影响尾矿库安全运行的库区内地质滑坡、工程边坡进行安全监测。受到现阶段技术条件限制，本规范暂未将库区泥石流等地质灾害纳入监测项目，待技术条件具备时，一般要开展此项监测工作。

3.3.2 一次建坝尾矿库的混凝土坝、浆砌石坝是刚性坝体，坝体变形量小，因此在确定监测等级时坝体表面位移按Ⅰ级确定。

3.4 安全监测项目

3.4.1、3.4.2 尾矿库安全监测项目是根据尾矿库等别、筑坝工艺、筑坝材料、构筑物级别等因素综合确定的，适用于在线安全监测和人工安全监测。

4 监 测 系 统

4.1 一 般 规 定

4.1.1 尾矿库堆积坝坝高与库容逐年增加，尾矿库安全监测设施需根据尾矿库设计图进行整体布置，并根据尾矿库堆积坝筑坝进度适时实施。

4.1.2 尾矿库在线安全监测系统的部分监测仪器设备布置在尾矿坝的坝体内部，给维护带来不便，故在选用仪器设备型号和施工安装工艺等方面要充分考虑仪器设备的可维护性；同时，尾矿库堆积坝随着生产营运在不断增高，还需在后期子坝上增设监测仪器设备，故要求建立的尾矿库在线安全监测系统具备扩展能力。尾矿库在线监测系统按照设定的频率定期进行监测，为了保证监测仪器设备使用寿命和节省电能，在非监测时间段时监测仪器设备需处于休眠状态，达到适时监测的目的。

4.1.3、4.1.4 人工安全监测和在线安全监测在作业方法方面存在差异，因此对人工安全监测和在线安全监测技术设计内容分别进行了具体规定。

4.1.7 本条规定是为了将监测中的系统误差减到最小，达到提高监测精度的目的。

4.2 设计基础资料

4.2.1、4.2.2 尾矿库在线安全监测、人工安全监测技术设计前，要详细收集基础资料，并查明尾矿库及周边环境条件，当资料不全时，要做相关补充工作。

4.3 监测剖面与监测点布置

4.3.1～4.3.12 地质条件变化较大的地段是指尾矿库工程地质

勘察报告中描述的地质条件复杂的地段。尾矿库运行有异常反应处是指尾矿库运行过程中出现的尾矿坝表面裂缝、剥落、滑坡、隆起、塌坑、渗流出逸的地方。渗流异常是指尾矿坝的渗流状况不符合设计文件要求。

监测剖面与监测点的布设应尽可能地反映尾矿库坝体的变形状态及渗流情况、排水设施的变形及工作状况、库区工况、库区滑坡体的滑动情况等，以保证对监测对象变化状况作出准确判断。在尾矿库安全薄弱区域及重点监控部位，特别是在尾矿坝地质条件变化较大的地段以及尾矿库运行有异常反应处，应加密布设监测点，以便更加准确地反映尾矿库各监测对象的变化特征、重点监控部位的安全状况。

4.4 监测仪器设备

4.4.1 尾矿库库区不同于一般的自然环境，大多数存在高温、强酸或强碱、多尘等情形，因此在进行技术设计及实施时，应考虑所采用的监测设备的适应性。

4.4.2 监测仪器技术指标是根据现阶段的仪器性能、参数、监测技术水平确定的。在进行技术设计及实施时，所选用的监测仪器标称精度要达到表4.4.2所列的技术指标要求。

4.4.3 本条规定是保证监测数可靠的前提条件，也是国家计量法规的基本要求。要结合监测仪器自身特点、使用环境及使用情况，定期对监测仪器设备进行维护、比测检查或校准，以保证仪器正常工作。

4.5 监 测 频 率

4.5.1 尾矿库一般建在较为偏远、地质条件相对较好的地方，受各种因素的干扰较少，布置在尾矿库周边的基准点稳定性较好，因此本条规定监测基准网的复测每年不应少于1次。当监测成果出现异常而对基准点的稳定性产生疑问时，要即时对基准网进行复测。

4.5.2 有关日常巡查、年度巡查和特别巡查的具体方法在本规范第 5.2.1 条中进行了规定。

4.5.3 由于尾矿库等级、放矿及筑坝方式、尾矿特性以及诸多影响安全因素差异性较大，因此，人工安全监测频率不是一成不变的，需要根据尾矿库的运行状况以及其他外部环境影响因素的变化及时作出调整。一般在尾矿坝施工期间、雨季等，应适当加密监测；当监测值相对稳定时，可适当降低监测频率。当出现异常现象和数据，或临近预警阈值时，要提高监测频率甚至连续监测。

4.5.4 正常状态时，尾矿库在线安全监测系统每天至少应监测 1 次。伺服型全站仪的巡测时间与布设监测点的个数有密切关系，监测点越多，巡测时间越长，一般巡测时间不小于 30min；GNSS 静态观测时段长度一般不小于 1h；其他监测设备的巡测时间一般小于 5min，所以监测频率规定为 1 次/10min～1 次/24h。

尾矿库处于非正常状态时，必须对预警区域内的监测项目加大监测频率。伺服型全站仪和 GNSS 快速静态监测频率不小于 1 次/30min，其他监测设备的监测频率不小于 1 次/5min。

4.6 技 术 要 求

4.6.1 地表位移监测精度指标是根据现有尾矿坝变形状况、尾矿库安全监测实践经验、专家调研成果和国家现行相关标准确定的。其他监测项目的监测精度指标是根据现有的监测仪器性能及参数、尾矿库安全运行要求确定的。

4.6.2 尾矿库在线安全监测系统比测一般采用相同监测设备、相同监测方法和相同的监测精度，以提高比测分析的可靠性。

5 现场巡查与人工安全监测

5.1 一般规定

5.1.1 日常巡查为尾矿库企业必须进行的常规性、规范化的安全管理工作。日常巡查、年度巡查为生产例行安全检查，特别巡查为专项安全检查。

5.2 现场巡查

5.2.1 日常巡查重在依据经验和主观感受进行尾矿库全面巡视，可使用钢卷尺、数码相机等工具，必要时可对现场进行拍照、摄像。

年度巡查是对尾矿库安全运行状态进行的定期全面检查、复核和评价。

特别巡查中尾矿库可能出现的险情是指尾矿坝贯穿性横向裂缝、管涌、坡面沼泽化、深层滑动，尾矿坝坝体浸润线显著升高，尾矿库调洪库容严重不足，排洪系统不能排水或排水能力急剧下降、排水井显著倾斜等。

5.2.2 现场巡查要根据尾矿库的具体情况和特点，制订切实可行的巡查制度，明确巡查的内容、方法、要求及时间。

5.2.7 周边环境检查中其他涉及尾矿库安全的项目包括影响尾矿库安全的违章爆破、违章取水，未经批准的外来尾矿、废石、废水和废弃物排放，放牧和开垦等。

5.3 人工安全监测

5.3.1 视准线法一般适用于山谷型尾矿库直线式尾矿坝坝体表面水平位移监测。极坐标法、GNSS 法适用于各类尾矿库坝体表面水平位移监测。

5.3.9 采用测斜管顶部为起算点时，由于测斜管顶部不稳定，因此规定每次监测都要测定测斜管顶部相对于坝体表面水平位移基准点的位移量，以该位移量修正测斜管内各监测点的监测值。

5.3.16 孔隙水压力观测一般适用于饱和土及饱和度大于95%的非饱和黏性土；当黏性土的饱和度低于95%时，一般选用高进气压力孔隙水压力计，但此类仪器尚不成熟，选用时应经论证。

5.3.19 渗流量监测的堰上水位计通常带有温度测量功能，测量堰上水位时，能够同时测量渗水温度。

采用量水堰法监测渗流量时，渗流量 Q 推荐使用下列计算公式：

直角三角形堰： $$Q = 1.4H^{5/2} \tag{1}$$

梯形堰： $$Q = 1.86bH^{3/2} \tag{2}$$

无侧向收缩矩形堰： $$Q = mb\sqrt{2g}H^{3/2} \tag{3}$$

有侧向收缩矩形堰： $$Q = m_c b\sqrt{2g}H^{3/2} \tag{4}$$

式中：Q——渗流量（m^3/s）；

H——过堰水位（m）；

b——堰切口底宽（m）；

m——堰流量系数，$\frac{\delta}{H} < 0.67$ 时，按薄壁堰计算：$m = 0.405 + 0.0027/H$；$0.67 < \frac{\delta}{H} < 2.5$ 时，按实用堰计算：$m = 0.36 + 0.1\left(\frac{2.5 - \frac{\delta}{H}}{1 + \frac{2\delta}{H}}\right)$；

δ——堰壁厚（m）；

m_c——有侧收缩的堰流量系数，$m_c = \left(0.405 + \frac{0.0027}{H} - 0.03\frac{B-b}{B}\right) \times \left[1 + 0.55\left(\frac{H}{H+P}\right)^2\left(\frac{b}{B}\right)^2\right]$；

B——上游渠道宽度(m)；

P——下游堰高(m)。

5.3.21 浑浊度达到正常运营值的1.5倍时应加大监测频率是根据经验值确定的。

6 在线安全监测

6.1 一 般 规 定

6.1.1 服务器是用于安装和运行尾矿库在线安全监测系统软件，并对监测原始数据和监测成果进行实时备份。

6.2 坝体位移监测

6.2.1 伺服型全站仪、GNSS 接收机适用于各种筑坝方式的各类尾矿库坝体表面水平位移在线安全监测。激光准直仪一般适用于上游法筑坝的山谷型尾矿库直线式尾矿坝坝体表面水平位移在线安全监测。

6.2.2 监测站房的尺寸规定，主要是考虑监测站房需要放置必要的监测仪器设备，并为工作人员提供必要的工作环境。监测站房四面墙壁上部设置通风口，主要是出于监测站房通风考虑，使仪器工作环境与周边气象环境相近。

6.2.3 本条对 GNSS 平差计算软件的规定，主要是考虑到在线安全监测时间跨度大，可能出现个别 GNSS 接收机故障或监测点遭受破坏导致 GNSS 监测网型发生改变的情况。

6.2.6 静力水准监测点与基准点高程基本一致，其高差最大不应大于静力水准仪量程的 30%是为了充分利用其量程范围。防冻液冰点低于当地历史最低纪录是为了防止当地天气过冷而导致连通管内液体结冰，从而导致静力水准仪无法工作。

6.2.9 采用滑轮式测斜仪，主要是考虑到测斜仪的维修与更换。

6.3 渗 流 监 测

6.3.1 尾矿坝渗流监测的重要目的之一是确定浸润线的位置，这就要求做好测压管的安装埋设工作。本规范第D.1节中规定测压管不留沉淀管段，是根据经验对旧式测压管结构的改进。大量实践表明，当土体中实际水位低于测压管管底时，往往因沉淀管存在“死水”而造成观测水位偏高的假象，从而影响浸润线的真实性。

6.3.2 中线法筑坝时，坝体外坡高程不断变化，而渗压计的安装位置是固定的，因此规定了监测浸润线埋深时要同步监测坝体外坡高程。

6.3.5 量水堰法是传统的渗流量监测方法，配合安装自动水位计能够实现自动数据采集。

6.4 库水位监测

6.4.2 为了保证库水位测量数据的准确性，因此规定了雷达液位计或超声波液位计的探头要垂直向下安装。

6.5 干滩监测

6.5.1～6.5.3 采用测距仪、普通数码相机进行干滩在线安全监测时，若监测方法和监测精度难以同时满足滩顶高程、干滩长度、干滩坡度的监测要求，从技术经济综合考虑，采用自动与人工相结合的监测方式更符合实际。

6.6 降水量监测

6.6.2 雨量计安装时，基座入土深度以确保雨量计安装牢固、遇暴风雨时不发生抖动或倾斜为宜，基座的设计要考虑排水管和电缆通道的影响。

信号输出电缆为两芯屏蔽线，电线接头从仪器底座的橡胶电缆护套穿进后打结，固定在雨量计内计量组件上方的接线架上；接线后，调整调平螺帽，使圆水泡居中，然后用螺钉锁紧；套上筒身，用三个螺钉锁紧。

6.8 库 区 监 控

6.8.2 视频监控设备要结合监控部位、监控范围、监控内容、监控视距、夜间监控等要求对设备的变焦、设备的功率、功能等进行合理选型。

6.8.5 摄像机调试时，先打开控制台、监视器电源开关，若设备指示灯亮，即可打开摄像机电源开关，监视器屏幕上便会显示图像；调节光圈，使图像清晰；改变变焦镜头的焦距，并观察变焦过程中图像清晰度，确认摄像机工作是否正常。

7 在线安全监测系统集成

7.4 供　　电

7.4.3 根据大多数尾矿库企业实际情况，不间断电源装置(UPS)后备电池的供电时间达到30min能满足生产实际需要。

7.4.4 可以选用风光互补供电系统作为监测仪器设备的供电电源。

7.6 系统调试

7.6.2 一般在用尾矿库的人工安全监测时间较长，在线安全监测时间较短，所以要注意不同时期、不同方法监测成果的衔接问题。

系统调试时，要测试供电系统和通信网络的稳定性，建立出现断电、仪器损坏、系统故障时的处置方案和数据分析方法。

8 数据分析与预警

8.1 一 般 规 定

8.1.2 在线安全监测成果与人工安全监测成果对比分析一般要采用相同监测项目、相同监测点位和相同观测时段的成果。

8.1.3 尾矿库安全监测项目的黄色预警、橙色预警和红色预警通常采用监测预警阈值进行判定。监测预警阈值一般要根据设计控制值、现行国家或行业技术标准、尾矿库实际状况、监测数据统计分析、理论计算和类似工程经验等确定。

8.2 数据整理与分析

8.2.2 每次监测工作完成后要及时进行监测数据的整理与分析，对监测项目和监测点的异常状况作出判断，保证监测成果的时效性。

8.2.3 各监测项目有着必然内在的联系，单项的监测结果往往不能揭示和反映整体的情况，应结合相关的监测数据和自然环境、尾矿库运行状况、现场巡查结果等情况及以往数据进行综合分析，通过相互印证、去伪存真，正确地把握尾矿库及周边环境的安全真实状态，提高分析评价报告质量。

8.3 监 测 预 警

8.3.3 位移是反映尾矿坝安全状况的最直接指标，由于筑坝材料物理力学性质的复杂性和筑坝方式、地形地质条件的差异性，暂不便确定位移量、位移变化速率等预警阈值的定值，本条给出了位移量、位移变化速率等预警阈值的确定方法。

8.3.4 现行国家标准《尾矿设施设计规范》GB 50863 规定的尾矿

库堆积坝外坡浸润线最小埋深见表1。表1中任意高度堆积坝浸润线最小埋深可用插入法确定。橙色预警阈值取红色预警阈值的1.1倍是一个经验值。

表1 尾矿堆积坝外坡浸润线最小埋深(m)

堆积坝高度 H	$H<30$	$30\leqslant H<60$	$60\leqslant H<100$	$100\leqslant H<150$	$H\geqslant150$
浸润线最小埋深	2	2～4	4～6	6～8	8～10

8.3.5 现行国家标准《尾矿设施设计规范》GB 50863规定的尾矿库堆积坝最小安全超高与最小干滩长度见表2、表3。橙色预警阈值是根据调洪库容大小按经验值确定的。

表2 上游式尾矿坝最小安全超高与最小干滩长度(m)

尾矿坝级别	1级	2级	3级	4级	5级
最小安全超高	1.5	1.0	0.7	0.5	0.4
最小干滩长度	150	100	70	50	40

表3 下游式及中线式尾矿坝的最小干滩长度(m)

尾矿坝级别	1级	2级	3级	4级	5级
最小干滩长度	100	70	50	35	25

地震区的最小干滩长度还应符合现行国家标准《构筑物抗震设计规范》GB 50191的有关规定。

8.3.6 尾矿库设计最高洪水位、汛前控制水位或生产运行控制水位在尾矿库设计文件中均有明确规定，可直接引用。

8.3.7 降水量黄色预警阈值是根据气象部门制定的降水量标准所对应的暴雨级降水量确定的。

8.3.8 库区地质滑坡体位移监测橙色预警阈值取红色预警阈值的80%是根据经验值确定的。

10 运行维护与资料建档

10.0.4 大多数尾矿库安全事故发生在汛期,为确保尾矿库安全,本条强调了在汛期前后对尾矿库在线安全监测系统进行全面检查,确定系统无故障运行。

10.0.9 尾矿库安全监测成果资料存档后要妥善保管,做好防霉、防蛀工作。